SVENSKA UTIFRÅN

Roger Nyborg
Nils-Owe Pettersson
Britta Holm

2001

Svenska utifrån beställs enklast
och billigast direkt från:

Svenska institutet
Kundtjänst
Storsätragränd 10
127 39 Skärholmen

Fax: +46 (0)8 97 78 20
E-post: order@si.se

Svenska utifrån
© Svenska institutet 1991, 1994 och 2001
Författare: Roger Nyborg, Nils-Owe Pettersson, IES, Stockholms universitet
Redaktör och medförfattare: Britta Holm, Svenska institutet
Illustrationer: Åse Stödberg, Sara Johansson s. 122, 171 och 213
Typografi och layout: Lilian Hildestrand, grafisk form och illustration
Produktionsledning: ARALIA – konsult i trycksaker
Tryck: AWT, Uppsala 2002
ISBN 91-520-0673-5

Förord

Välkommen till *Svenska utifrån*! Som namnet antyder är denna nybörjarbok i svenska i första hand tänkt för dem som läser svenska i utlandet, men naturligtvis kan vem som helst som vill lära sig svenska använda boken. Den är dock tänkt att användas i lärarledd undervisning. Många övningar är utformade med tanke på undervisning i större eller mindre grupper.

Boken är en nybörjarbok, och därför behandlas inte allt i svenska språket utan främst de moment som är att betrakta som grundläggande. Den grammatiska progressionen är säkert välbekant för de flesta lärare: från enklare strukturer till mer komplicerade. När det gäller ordningen av grammatiska moment står det naturligtvis var och en fritt att själv välja vad man vill gå igenom först. Ofta finner man att texter som tar upp ett nytt moment kan vara rätt "enkla".

Eftersom undervisningen i olika länder bedrivs på olika sätt och under olika förutsättningar kan man också använda boken enligt en urvalsprincip: flera texter innehåller samma grammatiska strukturer, och tanken är att man kan hoppa över vissa texter, om tiden inte räcker till eller om klassen av olika anledningar inte behöver så mycket av just denna grammatik. Andra grupper har kanske både mer tid och behov av fler exempel. "Obligatoriska" texter är markerade med: ⚠

Den stora textmassan – det finns 150 texter – hoppas vi ska kunna göra undervisningen omväxlande samt kunna ge ett avstamp för vidare studier.

Fakta om Sverige finns det gott om, men vi har medvetet valt att ligga lågt vad beträffar den "tunga" samhällsinformationen med tanke på de önskemål som kommit från svensklärare i utlandet och att lagar och förordningar lätt åldras. Sådan information har ju de flesta tillgång till genom SI:s informationsblad. Därför hittar man en hel del kuriosa om Sverige, och det med baktanken att dessa fakta ofta stimulerar till diskussioner i klassrummet och dessutom är lättare att prata om med ett begränsat ordförråd.

Att de skriftliga övningarna inte ska skrivas i läroboken har både ett pedagogiskt och ett besparingsmässigt syfte: vid repetition gör man verkligen övningen om igen, i stället för att tro att man gör det. Dessutom kan boken naturligtvis lättare återanvändas.

Hur man använder texterna och övningarna varierar givetvis beroende på vilken typ av lärare man är, hur lång erfarenhet man har och vilken typ av klass man har. Vi har vid många texter gett förslag på hur man kan läsa texten och utföra övningarna. Dessutom kommer det att finnas en något mer detaljerad läraranvisning.

När det gäller uttal, kommer förslag på en uttalsundervisning att stå i samma häfte som läraranvisningarna. Uttalsanvisningar finns efter varje ord i ordlistan t.o.m. stycket 10. Därefter kommer ord att markeras endast om man inte kan förutse hur de ska uttalas. Detsamma gäller för ordens böjning, även om vi där varit ganska så generösa med information. Anledningen till denna sparsamhet är inte minst pedagogisk. Vi vill att eleverna ska försöka använda de regler som faktiskt finns.

Vi hoppas ni får mycket nöje av boken. Den har av olika anledningar blivit fördröjd, men många texter och övningar har hunnit utprövas av flera lärare och varit omtyckta och fungerat bra i undervisningen.

Under arbetet med *Svenska utifrån* avled vår medförfattare Nils-Owe Pettersson mycket tragiskt. Förståeligt nog har arbetet därefter känts tungt, men huvudstrukturen av boken låg fast och flertalet av texterna var färdigskrivna vid hans bortgång. Även om Nils-Owe aldrig fick se boken i färdigt skick, vilar hans ande i allra högsta grad över den.

Stockholm i juni 1991

Roger Nyborg   Britta Holm

Förord till revidering 2001

Mycket har hänt i världen sedan den förra upplagan av *Svenska utifrån* kom ut 1994, vilket har gjort en ny revidering av läroboken nödvändig.

Intresset för att lära sig det svenska språket är stort. I utlandet kan man läsa svenska vid universitet, gymnasieskolor, folkhögskolor, på kvällskurser, språkinstitut och företag samt med privatlärare. Många studenter kommer till Sverige genom utbytesprogram och som stipendiater.

I den revidering som påbörjats under hösten 2000 har faktauppgifter uppdaterats och felaktigheter korrigerats. Vissa stycken har förändrats och två stycken i slutet av boken har helt skrivits om. Allt för att få materialet så aktuellt och användbart som möjligt. Dessutom har boken fått en ny layout och formatet har förändrats. Vi har velat göra sidorna luftiga och läsvänliga.

Till vissa stycken finner man en hänvisning till en hemsida, där man kan hitta mera information om det tema som texten behandlar. Vi vill också rekommendera Svenska institutets hemsida – www.si.se – där det finns mycket information om Sverige och många användbara länkar.

Om ni som användare av boken upptäcker felaktigheter eller har förslag att komma med, får ni gärna höra av er. Till sist vill vi önska er mycket nöje i arbetet med *Svenska utifrån*!

Stockholm i januari 2001

Marie Andersson   Charlotta Johansson

Innehåll

Teckenförklaringar

 Läses av alla.

 Musikövning

 Skriftlig övning
Skriv på separat papper!

§ **GRAMMATIK**
Nya grammatikmoment.

 Muntlig övning.

FRASER

Nyttiga fraser med anknytning
till texten.

 Lyssna på bandet!

 Fakta

Fakta i samband med texterna.

NYA ORD

Nya ord att använda i övningarna.

§ Grammatiskt innehåll m. m.

(Fetstil = ett moment dyker upp för första gången)

1. Presentation

Hej! Jag heter Nils-Owe. Jag är lärare på Stockholms universitet. Jag är gift med Ayako. Hon kommer från Japan. Jag har bara ett barn, en dotter. Hon heter Elin. Jag talar svenska, engelska, japanska och koreanska. Jag är författare till *Svenska utifrån*.

Hej! Jag heter Roger och jag är också lärare i svenska. Jag bor och arbetar i England, men jag kommer från Stockholm. Jag är gift med Taija. Hon kommer från Finland. Jag talar svenska, engelska och lite finska. Jag har en son. Han heter Patrik. Jag är också författare till *Svenska utifrån*.

§ **VERB I PRESENS = -r/-er**
tala**r**
arbeta**r**   -**r** efter vokal
bo**r**

het**er**   -**er** efter konsonant
komm**er**

Många språk slutar på -**ska**
sven**ska**   ty**ska**
japan**ska**   pol**ska**
engel**ska**   fran**ska**

FRÅGEORD
Vad?
Var?
Varifrån?

Vi frågar och du svarar
(på separat papper):

Vad heter du?   Jag heter ....
Var bor du?   Jag bor i ....
Varifrån kommer du?   Jag kommer från ......
Vad talar du för språk?   Jag talar ....

§ ORDFÖLJD

1 FUNDAMENT	2 VERB	3 SUBJEKT	4 ANNAT
Jag	bor	-	i Stockholm.
Jag	talar	-	svenska.
Hon	kommer	-	från Finland.
Vad	heter	du?	
Vad	talar	du	för språk?
Var	bor	han?	

Subjekt = fundament

⬇

plats 3 tom!

Verb på 2:a plats.

2. Vi läser svenska

Jag heter Ewa och jag är från Polen. Jag studerar svenska på universitetet. Jag talar polska, svenska och lite tyska. Jag är gift.

Jag heter Bob och jag läser svenska här i England. Jag kommer från London. Jag talar engelska, tyska och lite svenska.

Hej! Jag heter Anna och jag bor och arbetar i Bonn. Jag läser svenska på en kvällskurs. Jag talar tyska, lite franska och lite svenska. Jag är gift och har två barn.

📖 Fakta

I Sverige läser alla barn engelska.
Andra läser franska.
Många läser tyska.
En del läser tyska och franska.
Några läser ryska eller kinesiska.
Många talar finska.

Man läser svenska vid
28 universitet i Tyskland
12 universitet i Ryssland
2 universitet i Kina
32 universitet i USA
1 universitet i Uruguay
och på många andra platser.

§ PRONOMEN

jag	du	han	hon

 Vad heter du? Var läser du svenska? Varifrån kommer du? Vad talar du för språk? Skriv en liten text om det!

3. De läser också svenska

 Lyssna på bandet!

 Skriv svar!

A. Varifrån kommer Tom?
   Han kommer från USA.
   Vad studerar han?
   Var i USA studerar han?
   I Dallas.
   Hur gammal är han?
B. Var bor Carmen?
   Vad studerar hon?
   Vad studerar hon på för kurs?
   Hur många barn har hon?
C. Var bor Ivan?
   Vad studerar han?
   Vem är han förlovad med?
D. Varifrån kommer Sunhi?
   Var bor hon nu?
   Vad studerar hon på för skola?

 Svara JA eller NEJ!

1. Studerar du svenska?
2. Studerar du tyska också?
3. Kommer du från USA?
4. Kommer du från Polen?
5. Läser du svenska på ett universitet?
6. Läser du svenska på en kvällskurs?
7. Talar du tyska?
8. Talar du spanska?
9. Bor du i England?
10. Bor du i Japan?
11. Har du barn?
12. Arbetar du?
13. Är du gift?
14. Är du förlovad?

 Han? Hon?

1. Ewa är från Polen.
2. ...... studerar svenska i Krakow.
3. ...... talar polska.
4. Bob kommer från London.
5. ...... läser svenska i Hull.
6. ...... talar engelska och tyska.
7. Carmen bor i Madrid.
8. ...... har två barn.
9. Ivan är från Moskva.
10. ...... är förlovad med Irina.
11. Sunhi kommer från Korea,
    men nu bor ...... i Sverige.

4. Jag undervisar i svenska

Hej och välkomna!
Jag heter Karin och jag är lärare i svenska.
Jag bor i USA nu, men jag är född i Sverige.
Jag kommer från Mora i Dalarna.

Nu frågar jag:	Och ni svarar:
Vad heter ni?	Jag heter …
Var kommer ni ifrån?	Jag kommer från …
Var bor ni?	Jag bor i …
	och så vidare.

Jag frågar:	Och ni svarar:
Hur stavar ni till det?	A-L-B-E-R-T osv.

5. Alfabetet

Aa Bb Cc Dd Ee Ff Gg Hh Ii Jj Kk Ll
Mm Nn Oo Pp Qq Rr Ss Tt Uu Vv Xx Yy
Zz Åå Ää Öö

VOKALER
a e i o u y å ä ö

Främre: eiyäö
Bakre: aouå

KONSONANTER
b c d f g h j k l m n p q r s t v x z

W bara i namn

6. På ett party

1
– Hej! Jag heter Anna. Anna Lind.
– Hej, jag heter Ivan.
– Är du från Ryssland?
– Ja.
– Jaha …
– Och du, kommer du från Stock-
  holm?
– Nej. Jag bor här, men jag kommer
  från Värmland.

2
– Vem är det där?
– Det är Anna.
– Vad heter hon i efternamn?
– Lind.
– Arbetar hon här?
– Jag vet inte. Varför frågar du?
– Jag är intresserad.

3
– Sven Asp.
– Tom Scott.
– Oh, how do you do?
– Varför talar du engelska? Jag talar
  svenska.
– Jaså? Men du är från England?
– Ja, men jag bor i Sverige nu.
– Jaha … Jag läser engelska på
  universitetet.

– Jaså, här i Stockholm?
– Nej, i Uppsala.

4
– Lena Olsson heter jag.
– Hej, jag heter Kim Sunhi!
– Hej Kim. Hur står det till?
– Nej, nej. Jag heter Sunhi i förnamn.
  Kim heter jag i efternamn.
– Jaha. Varifrån är du, Sunhi?
– Från Korea.
– Jaha. Vad gör du i Sverige?
– Läser svenska.
– Du talar bra svenska.
– Nej, jag talar bara lite grand.

5
– Hej, Anders heter jag. Anders Molin.
– Laszlo Szabo.
– Laszlo vadå?
– Szabo.
– Hur stavar du det?
– S Z A B O.
– Varifrån är du? Är du från Polen?
– Nej, nej. Jag är född i Sverige, men
  mamma och pappa kommer från
  Ungern.
– Jaha, du. Bor de i Sverige också?
– Ja.

FRASER
Vad heter du i förnamn/efternamn?
Jaha …
Jaså.

Jag vet inte.
Hur står det till?
Hur stavar du det?
Jag är född i …

Hur stavar de?

 Lyssna på bandet!   Skriv svar! Exempel 1: *Lena Öhman.* Exempel 2–10: …

5

Ett cocktailparty på Svenska ambassaden!

Klassrummet är Svenska ambassaden! Läraren = ambassadören. Varje elev spelar en roll. Läraren delar ut kort med personuppgifter (land, yrke, studier osv.). Ambassadören välkomnar gästerna, alla presenterar sig för varandra.

Exempel:

Jörn Schmidt	Marie Dupont	Roger Moore	Irina Nilsson	Björn Borg
Tyskland	Frankrike	England	Ryssland	Sverige
lärare	student	skådespelare	tolk	affärsman
arbetar i	studerar i	bor i	arbetar i	bor i
Bonn	Paris	Genève	Malmö	Italien

7. En mystisk man

−Vad heter han?	− Jag vet inte.	− Är han gift?	− Jag vet inte.
−Var bor han ?	− Jag vet inte.	− Har han barn?	− Jag vet inte.
−Vad jobbar han med?	− Jag vet inte.	− Jobbar han här?	− Jag vet inte.

 prepared Gör färdig dialogen!

 conversing Två personer samtalar. Vilket svar passar?

A: Vad heter hon?
B: Hon ... Inger.
A: Var ...?
B: ... på Kirunagatan.
A: Var ...?
B: I Vällingby.
A: ... gift?
B: Jag tror det.
A: ... barn?
B: Jag vet inte.
A: ... här?
B: ... Ja, hon arbetar här.
A: ... ?
B: Hon kommer ... Skåne.
   Men varför ... du så mycket?
A: Jag är bara intresserad.

1. Vad gör du?
   a) Jag är lärare.
   b) Jag talar inte tyska.
   c) Jag är gift.

2. Hej. Jag heter Inger.
   a) Jag bor i Stockholm.
   b) Och jag heter Ida. Hej!
   c) Jag studerar svenska.

3. Jag är gift.
   a) Jag är student.
   b) Talar du svenska?
   c) Har du barn?

4. Jag kommer från Halmstad.
   a) Bor du här?
   b) Var ligger det?
   c) Jag heter Bo.

5. Talar du svenska?
   a) Nej, jag är lärare.
   b) Bara lite.
   c) Ja, jag talar norska.

6. Var bor du?
   a) I Kalmar.
   b) Från Norrland.
   c) Bara svenska.

7. Jobbar du här?
   a) Jag vet inte.
   b) Jag talar tyska.
   c) Ja, jag är tolk här.

8. Har du barn?
   a) Det är en pojke.
   b) Jag tror det.
   c) Nej, tyvärr.

8. I ett klassrum

 Lyssna på bandet. Läraren pekar.
Lyssna på bandet och peka själv.

NYA ORD

en bok
en bänk   *seat*
ett fönster
en penna
ett suddgummi   *eraser*
en vägg   *wall*
ett papper
en väska   *bag*
ett bord   *table/desk*
en stol   *chair*

+ andra saker i rummet
   thing

Vad } är det { här?
Vem }   { där?

Det är {
en väska
ett papper
en pärm
en bänk
ett fönster
Eva
Adam
}

§ **OBESTÄMD ARTIKEL +
SUBSTANTIV**   *indefinite*

en / ett	substantiv
en	stol
ett	bord
en	lärare
ett	barn
en	pojke
ett	universitet

FRASER

Fråga: Vad heter det på svenska?
eller   Hur säger man på svenska?

Svar: (Det heter/Man säger)
          en väska, ett bord etc.

Lärare och/eller elever
pekar och frågar:
Vad/Vem är det här/där?
Du svarar:
(Det är) en bok, ett papper, Anna, Ivan etc.

 – Vad … ?
– … en …
– … det för katt?
– … siames.

 En eller ett?

bord	universitet
stol	kvällskurs
lärare	språk
papper	pojke
väska	skola
namn	klassrum

Vad är det?
Man vet inte vad det **är**.

Vad heter det på svenska?
Man vet inte vad det **heter**.

 Vad behöver de?

Kalle är fotograf.
Kajsa är polis.
Jörgen är snickare.
Välj från ordlistan och
skriv några förslag!
Kalle behöver …
Kajsa behöver …
Jörgen behöver …
Du studerar svenska.
Vad behöver du?
Jag behöver …

NYA ORD

en kamera
en filmrulle
en batong
en skruvmejsel
en pistol
ett block
en såg
en penna
en blixt
en hammare
ett stativ
ett måttband
en fågel
en hund
en katt
en siames
en skata
en tax

 Vad är det där?

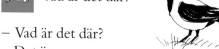

– Vad är det där?
– Det är …
– Ja, men … är det för fågel?
– Det är …

– Vad är … ?
– Det är …
– Ja, men vad är det … ?
– Det är …

9. Vad gör du klockan halv nio?

Jag { somnar / börjar / vaknar (klockan) / slutar / åker } { ett. / två. / tre. / fyra. / fem. / sex. / sju. / åtta. / nio. / tio. / elva. / tolv. }

Jag går hemifrån { fem i åtta. / åtta prick. / fem över åtta. / kvart över nio. / tjugo över nio. / halv elva. / tjugo i tolv. / kvart i ett. }

FRASER

Hur mycket är klockan?	Klockan är halv fem.
Vad är klockan?	Den är halv fem.
Har du en klocka?	Ja, hon är halv fem.
När vaknar du?	Klockan sju.
Hur dags somnar du?	Elva.
Hur mycket är en rättvis klocka?	Hon är strax sju.
Går din klocka rätt?	Ja, den är prick fem.

 Lyssna på bandet!

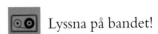 Skriv rätt klockslag!

1) ett
2) halv tre
3–18) …

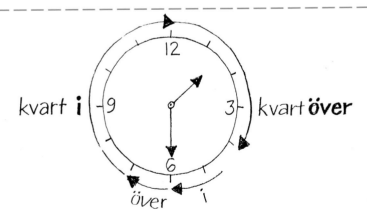

kvart **i** – kvart **över** – över – i

Klockan är halv <u>två</u>.

9

10. Katarina

Det här är Katarina.
Hon arbetar på ett varuhus.
Hon säljer parfym.

Här är en dag i Katarinas liv:

Hon vaknar klockan sju, och halv åtta
stiger hon upp och lagar frukost.
Hon är mycket, mycket trött.

Klockan åtta går hon hemifrån.
Hon arbetar till tolv,
och sedan har hon lunch till kvart i ett.
Hon är mycket trött och äter bara
lite filmjölk och ett äpple.

Sedan arbetar hon till klockan sex.
(Hon har en kafferast klockan tre.)

Kvart i sju kommer hon hem.
Hon är ganska trött.
Hon duschar, ringer till en väninna och byter om.

Strax efter åtta går de på en restaurang och äter.
Sedan går de på disko och dansar.
Halv ett går de hem.
Då är Katarina äntligen pigg!

§ ORDFÖLJD				
1	**2**	**3**	**4**	
F	**V**	**S**	**A**	
Patrik	vaknar	-	klockan åtta. (fundament = subjekt)	Verb på
Klockan åtta	vaknar	han	-. (fundament = tid)	2:a plats!
Han	äter	-	frukost halv nio. (fundament = subjekt)	
Frukost	äter	han	halv nio. (fundament = objekt)	
Klockan nio	går	han	hemifrån. (fundament = tid)	
Hem	kommer	han	klockan fem. (fundament = plats)	

Svara på frågorna! *Verb på 2:a plats*

När	vaknar	du?		... vaknar ...
När	äter	du	frukost?	... äter ...
När	går	du	hemifrån?	... går ...
När	börjar	du/ni?		... börjar ...

---

§ SATSFOGNING MED OCH

1	2	3		1	2	3
F	**V**	**S**	**och**	**F**	**V**	**S**
Hon	duschar	-	och	-	ringer	- till en väninna.
Hon	duschar	-	och sedan	ringer	hon	till en väninna.
Sedan	duschar	hon	och	-	ringer	- till en väninna.
Kl 9	börjar	hon	och	kl 5	slutar	hon.

Efter **och**:   Efter **och + fundament★**:
upprepa inte subjektet!   upprepa subjektet!

★fundament = inte subjekt

 Gör en mening!

1. Hon/vaknar	och	hon/stiger/upp
2. Han/duschar	och	sedan/lagar/frukost/han
3. Sedan/tidningen/läser/han	och	han/lyssnar/på radio
4. De/äter/middag	och	kl tio/de/går/på disko
5. Katarina/trött/är	och	hon/gäspar
6. Hon/dricker/kaffe	och	sedan/arbetar/till sex/hon
7. Ibland/hon/tittar/på teve	och	ibland/går/på disko/hon
8. Han/handlar/mat	och	han/går/hem

 Skriv rätt ordföljd!

1) kl åtta / vi / kommer / hem
   Vi ...   *eller*
   Klockan åtta ...   *eller*
   Hem ...

2) kl 12 / lunch / hon / äter
   Hon ...   *eller*
   Klockan 12 ...   *eller*
   Lunch ...

3) de / kl 6 / slutar
   De ...   *eller*
   Klockan sex ...

4) vaknar / du / när / ?

5) du / talar / svenska / ?

6) hon / bor / var / ?

 Lyssna på bandet!

 Skriv en diktamen!

 Skriv om din dag!

När vaknar du? När går du
hemifrån? Var jobbar du?
Hur dags äter du lunch?
När kommer du hem?
Vad gör du då?

11. På universitetet

Vi läser svenska nästan varje dag.
Vi börjar klockan 10
och har en rast klockan 11.
Då sitter vi och diskuterar.
Klockan 12 slutar vi.
Sedan har vi lunch.
Mellan ett och halv tre har vi
lektion igen, och sedan går vi hem.

Vi läser svenska tre timmar i veckan,
varje måndag, tisdag och torsdag.
På måndag har vi lektion från
klockan 10 till 11.
På tisdag har vi lektion mellan 11 och 12.
På torsdag har vi lektion från två till tre.
Vi läser en bok, som heter *Svenska utifrån*.

12. På kvällskursen

Vi läser svenska varje onsdag.
Vi börjar klockan 19 (klockan sju)
och slutar klockan 21 (nio).
Kvart i åtta har vi en paus.
Då dricker vi te eller kaffe,
röker eller sitter och pratar.

 Ni läser också svenska.
Var? När börjar lektionen?
När har ni rast? Vad gör ni då? När slutar ni?

VECKANS DAGAR
måndag
tisdag
onsdag
torsdag
fredag
lördag
söndag

GESÄLLVISAN
Folklig anonym visa

Måndag gör jag ingenting, ingenting,
ingenting.
Tisdag ser jag mig omkring, mig omkring,
mig omkring.
Onsdag går jag ut och vankar.
Torsdag sitter jag i tankar.
Fredag gör jag vad jag vill.
Lördag stundar helgen till.

§ SUBSTANTIV

OBESTÄMD	BESTÄMD FORM	(Bestämd artikel)	
en kvällskurs en lektion	kvällskursen lektionen	-en efter konsonant	för ett-ord
en klocka en pojke	klockan pojken	-n efter vokal	
ett jobb ett universitet	jobbet universitetet	-et efter konsonant	för en-ord
ett äpple ett piano	äpplet pianot	-t efter vokal	

---

engelska   **the** boy
ty**ska**   **der** Junge
frans**ka**   **le** garçon
spans**ka**   **el** niño
svens**ka**   pojk**en**

På svenska kommer bestämd artikel
efter substantivet!

---

ett r**um**   r**umm**et

Skriv bestämd form av

ett varuhus	en restaurang
en penna	ett disko
en dag	en skata
ett stativ	en lärare
en polis	ett bord
ett namn	ett party
en väska	en stol
en bok	ett block
en filmrulle	en rast

13. Olle

Olle är författare.
Nu arbetar han på en roman.
Han sitter och skriver varje dag
mellan nio och tre.
Han har självdisciplin!
Klockan åtta äter han frukost
och läser tidningen.
Sedan diskar han,
och klockan nio sitter han vid datorn.

Han skriver, röker en cigarrett,
skriver lite till,
dricker en kopp kaffe,
tittar ut genom fönstret,
röker en cigarrett till,
tänker, dricker en kopp kaffe
och skriver lite till.

Klockan tolv tar han en promenad.
Han äter ofta lunch ute
och kommer tillbaka efter ett
och skriver till tre.
Han skriver ungefär ett kapitel varje dag.

På kvällen sitter han ofta och läser
och lyssnar på musik.
Han älskar klassisk musik och jazz.
Ibland har han inte inspiration.
Då städar han, svarar på brev,
ringer till mamma, tvättar,
går ut och handlar,
sorterar papper
och läser tidningen en gång till …

 Svara på följande frågor!
Titta inte på texten!
1. Vad har Olle för yrke?
2. Vad gör han nu?
3. När arbetar han?
4. Vad gör han på morgonen?
5. Vad gör han före klockan 12?
6. Var äter han ofta lunch?
7. Vad tycker han om för musik?
8. Vad har han inte ibland?
9. Vad gör han då, till exempel?

§ ARTIKEL ELLER INTE?

Olle är författare.	yrke	ingen artikel
Nu arbetar han på en roman.	presentation, första gången	obestämd artikel
Han har självdisciplin!	icke räkningsbart	ingen artikel
Klockan åtta äter han frukost.	uttryck med äter	ofta ingen artikel
Han läser tidningen.	han har bara en morgontidning	bestämd artikel
Klockan nio sitter han vid datorn.	han har bara en dator	bestämd artikel
Han röker en cigarrett.	det finns många	obestämd artikel
Han tittar ut genom fönstret.	det finns ett fönster framför skrivbordet	bestämd artikel
Han skriver ungefär ett kapitel.	det finns flera kapitel i boken	obestämd artikel
Han lyssnar på musik.	icke räkningsbart	ingen artikel
Han svarar på brev.	allmän betydelse	ingen artikel

Artikel eller inte?

1) Hon dricker /glas juice/ varje morgon.
2) De lyssnar på /radio/.
3) Han sitter framför /teve/.
4) Vi har /pojke/ och /flicka/.
5) Hon arbetar på /varuhus/.
6) Han går till /universitet/.
7) De pratar med /lärare/.
8) Hon är /polis/.
9) De äter /middag/ klockan sju.
10) Jag läser /bok/ varje kväll.

Intervju med Olle

Ordna intervjun!
– Hej, Olle! Vad gör du nu? 1)
– Oj! När kopplar du av?
– Tack för intervjun!
– Skriver du varje dag?

– Då lyssnar jag på musik och läser.
– Vad heter den?
– Jag skriver på en roman. 2)
– Har du alltid inspiration?
– Då städar jag eller tvättar ...
– Vad gör du då?
– Hur mycket skriver du varje dag?
– Ja!
– På kvällen.
– Vad gör du då?
– ”Natt i Rom”.
– Nej, inte alltid.
– Fyra, fem timmar.
– Ingen orsak.

 Skriv i rätt ordning!

1) – Hej, Olle! Vad gör du nu?
2) – Jag skriver på en roman.

15

Var arbetar de?

en lärare	en restaurang
en författare	ett sjukhus
en sekreterare	en affär
en kock	en skola
en läkare	en kyrka
en diskjockey	ett kontor
en präst	hemma
en journalist	ett bibliotek
en kamrer	ett diskotek
en bibliotekarie	en bank
en expedit	en tidning

 Skriv så här!

En lärare arbetar på en skola.
En författare jobbar hemma.
En sekreterare arbetar på ... osv.

En intervju

 Lyssna på bandet!

 Skriv svar!

1. Vad heter hon?
2. Var bor hon?
3. Var arbetar hon?
4. Vad har hon för arbete?
5. När börjar hon?
6. När stiger hon upp?
7. Vad äter hon?
8. När går hon?
9. Hur åker hon till skolan?
10. När går bussen?
11. När kommer hon fram till skolan?
12. Vad gör hon på bussen?
13. När äter hon lunch?
14. Vad äter hon till lunch?
15. När slutar hon?
16. När lagar hon middag?
17. Vad gör hon på kvällen?

14. Varje dag

Varje morgon vaknar jag, bäddar sängen,
duschar och borstar tänderna.
Varje förmiddag sitter jag
på kontoret och jobbar.
Varje dag klockan 12 äter jag lunch.
Varje eftermiddag har jag kafferast.
Jag dricker en kopp kaffe,
äter en bulle och ringer hem.
Varje kväll lagar jag mat,
äter med familjen, tittar på teve,
diskar och läser kvällstidningen …

Varje onsdag går jag på kurs.
Varje lördag storhandlar jag.
Varje söndag städar jag.
Varje vecka skriver jag brev.

Varje månad betalar jag hyran.
Varje vinter åker jag till Jämtland
och åker skidor.
Varje sommar åker jag till landet.
Vi har en stuga i Halland.

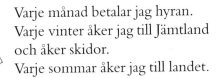 Intervjua varandra och
redovisa resultatet!
Vad gör du varje…
… morgon?
… kväll?
… dag?
… lördag?
… månad?
… sommar?

15. God morgon! God middag! God kväll! ⚠

Klockan är sju på morgonen.
Lasse Albäck och hans fru vaknar.

Lasse: God morgon, älskling!
Mona: God morgon, min lilla gubbe!

Klockan är nio och Lasse kommer till arbetet.

Lasse: God morgon, god morgon!
En vaktmästare: God morgon!

Lasse kommer in.

Lasse: Tjena! Hur är det?
En arbetskamrat: Bara bra. Själv då?
Lasse: Jodå, jag klagar inte.

Klockan är 12. Lasse har lunch och går ut. Han
träffar en bekant.

Lasse: Goddag, Erik! Hur står det till?

Lasses bekant:	Bra, tack. Och hur har du det själv?
Lasse:	Jotack, det knallar och går.

Klockan är tre på eftermiddagen. Lasse går in till chefen.

Lasses chef:	God middag! Varsågod och sitt!
Lasse:	Tack.

Klockan är fem och Lasse går hem.

Lasse:	Hej då!
En arbetskamrat:	Hej då! Hälsa!

Klockan är sex och Lasse kommer hem.

Lasse:	Hej, älskling, nu är jag hemma!
Mona:	Hej, lilla gubben! Är du hungrig?

Klockan är halv åtta på kvällen. Lasse och Mona tittar på Rapport.

En hallåman:	God afton! Här är Rapport!

Klockan är nio. Lasse ringer till mamma.

Lasse:	Hejsan mamma! Hur mår du idag?
Mamma:	Inget vidare. När kommer ni och hälsar på?

Klockan är elva. Lasse och Mona går till sängs.

Lasse:	God natt, lilla gumman!
Mona:	God natt, älskling, och sov gott!

Klockan är två på natten och Lasse och Mona sover.

Mona:	Zzzzzzzzzz
Lasse:	zzzzzZZZZZZ

FRASER

Hur står det till?
Hur är det?
Hur mår du?
Hur har du det?

God morgon!
God middag!
God kväll!
God afton!
God natt!

Hej!
Hej då!
Adjö!

Hälsa!

Vad gör de?

 Skriv ett verb!

Han … en bok.
Hon … svenska.
De … på teve.
Hon … på radio.
Han … mat.
De … tyska.
Hon … ett glas juice.
Han … en cigarrett.
De … en promenad.
Han … tennis.
Hon … ett brev.
De … på bio.

 Skriv hela meningar! Använd din fantasi!

Varje dag …
Varje morgon …
Varje kväll …
Vi …
Hon …
Klockan sju …
Klockan nio …
Klockan tolv …
Middag …
Svenska …
De …
Varje natt …
Först …
Sedan …
När … ?
Vad … ?
Hur … ?

16. Telefonsamtal från Sverige

Jonas:	Hallå!
Morfar:	Hej, Jonas! Det är morfar här.
Jonas:	Hej, morfar! Hur mår du?
Morfar:	Bara bra. Och ni då, hur mår ni?
Jonas:	Vi mår bra, allihop.
Morfar:	Vad gör ni?
Jonas:	Nu, menar du?
Morfar:	Ja.
Jonas:	Jo, jag sitter och pluggar.
Morfar:	Vad pluggar du?
Jonas:	Tyska.
Morfar:	Jaha. Och mamma, då?
Jonas:	Hon håller på och diskar.
Morfar:	Och pappa?
Jonas:	Han är inte hemma än. Han arbetar över idag.
Morfar:	Jaha. Och Jessica, då?
Jonas:	Hon lyssnar på Kent.
Morfar:	Vad är det?
Jonas:	Det är en popgrupp.
Morfar:	Jaha, du.
Jonas:	Morfar, ett ögonblick … Mamma! Det är morfar.
Mamma:	Ja, jag kommer …
Jonas:	Ja, hallå igen. Och ni, då? Vad gör ni?
Morfar:	Mormor sitter och stickar en … Nej, det är en hemlighet.
Jonas:	Och Måns?
Morfar:	Han ligger och sover.
Jonas:	Vad är det för väder i Sverige nu?
Morfar:	Det snöar!
Jonas:	Ojdå! Här skiner solen … men nu kommer mamma.
Morfar:	Ja, hej då, Jonas. Vi ses i jul!
Jonas:	Hej då!

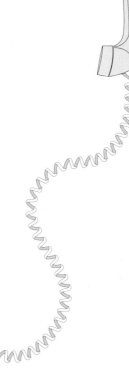

FRASER

det snöar
det regnar
det blåser
solen skiner
himlen är blå

---

§ SITTER, LIGGER, STÅR, HÅLLER PÅ

han **sitter och** pluggar
hon **ligger och** läser
de **står och** pratar
hon **håller på och** stickar

De gör något **just nu**.

⚠ 17. Räkneord

1	en/ett
2	två
3	tre
4	fyra
5	fem
6	sex
7	sju
8	åtta
9	nio [nie]
10	tio [tie]
11	elva
12	tolv
13	tretton
14	fjorton
15	femton
16	sexton
17	sjutton
18	arton
19	nitton
20	tjugo
21	tjugoen [tjuen]
22	tjugotvå [tjutvå]
30	trettio [tretti]
40	fyrtio [förti]
50	femtio [femti] etc.
60	sextio
70	sjuttio
80	åttio
90	nittio
100	hundra
101	hundraen
200	tvåhundra
1 000	tusen

┌─────────────────────────┐
ÅRTAL
1990	nittonhundranittio
1809	artonhundranio
2015	tjugohundrafemton
└─────────────────────────┘

 Fråga varandra om telefonnummer, gatunummer, postnummer, skonummer, rumsnummer!
Exempel: Vad har du för telefonnummer? etc.

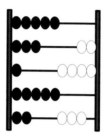

```
+   (plus)
-   (minus)
x   (gånger)
:   (delat med)
=   (är lika med)
```

 Lös problemen!

a) 12 + 23 = …
b) 35 + 42 = …
c) 58 + 63 = …
d) 72 + 84 = …
e) 98 - 66 = …
f) 59 - 32 = …
g) 11 x 12 = …
h) 69 : 23 = …

Lyssna på bandet och lös fler problem!

 Vad är det för nummer?

56 76 32	ett riktnummer
8905	ett personnummer
460113-0893	ett årtal
122 45	ett telefonnummer
0758	en portkod
1632	ett postnummer

18. Lite fritidsstatistik

Vad gör folk i Sverige på fritiden?

Här är lite statistik från 1987.

 Lyssna på bandet!

 Fyll i rätt procenttal!

Lyssnar på musik   61%
Promenerar   48%
Jobbar i trädgården   43%
Går och badar ...
Läser ...
Går på biblioteket ...
Syr, stickar eller väver ...
Idrottar ...
Går på restaurang ...
Går ut och dansar ...
Tittar på idrott ...
Fiskar ...
Går på bio ...
Går i kyrkan ...
Går på kurs ...
Skriver brev ...
Spelar ett instrument ...
Går på konsert ...
Fotograferar / filmar ...
Sjunger i kör ...
Samlar frimärken, mynt etc. ...
Går på teater ...
Spelar bingo ...

(Källa: Perspektiv på välfärden 1987, SCB Statistiska centralbyrån)

 Hur tror du att statistiken ser ut idag?
Har något försvunnit från listan,
har något kommit till?

NYA ORD

aldrig
sällan
ibland
ofta
alltid (= satsadverb)

§ HUVUDSATS MED SATSADVERB

1	2	3	4	5
F	V	S	S-ADVERB	RESTEN
Jag	går	–	sällan	på bio.
Hon	tittar	–	alltid	på teve.
Ibland	fiskar	han	–.	
De	skriver	–	aldrig	brev.

 Fråga varandra:

Vad gör du på fritiden?
Vad gör du ofta?
Ibland?
Sällan?
Aldrig?
Nästan alltid?
Svara och redovisa resultatet så här:

VERB + ADVERB

Jag	går	ofta	på bio.
Jag	går	aldrig	på teater.
Jag	fiskar	ibland.	
Jag	skriver	sällan	brev.

19. För- och efternamn

①
- Hej! Jag heter Pärra. Eller Per-Erik egentligen. Per-Erik Ljung.
- Hej! Jag heter Anneli.
- Vad heter du i efternamn?
- Trzmiel.
- Va?
- Trzmiel.
- Hur stavar du det?
- T R Z M I E L.
- Du kommer inte från Sverige, va?
- Nej, jag är född i Tyskland. Men min pappa kommer från Polen.
- Jaha.

②
- Hej igen! Du heter Anneli va?
- Ja, just det. Och du heter Ljung. Men vad heter du i förnamn?
- Pärra.
- Javisst ja. Vad gör du då?
- Jag är typograf. Och du?
- Jag jobbar på ett sjukhus.
- Är det kul?
- Nej, inte särskilt. Och du då, trivs du med ditt jobb?
- Jadå, det är bra. Och vad gör du på fritiden då?
- Tja, spelar basket, går ut och dansar och så där … Du då?
- Jag spelar också basket ibland. Förresten – vad gör du på lördag? Är du upptagen då?
- Nej, jag är ledig.
- Bra! Då går vi ut tillsammans och dansar!

③
RING! RING!
- Hallå! 12 34 56.
- Hallå! Är Anneli hemma?
- Vem är det?
- Å förlåt! Jag heter Per-Erik, Per-Erik Ljung. Är Anneli hemma?
- Ett ögonblick! … Nej, hon är inte hemma.
- När kommer hon tillbaka då?
- Det vet jag inte. Jo förresten, ganska sent.
- Var är hon då?
- Hon är ute och dansar. Hon är visst ute med en pojke, som heter Pärra.
- Men det är ju jag! Och jag ligger hemma och är sjuk!

En dialog

Skriv lämpliga frågor till svaren!

– ...
– Kerstin Schön.
– ...
– S – C – H – Ö – N.
– ...
– Nej, jag kommer från Finland, men min pappa är tysk.
– ...
– På Hantverkargatan. På Kungsholmen alltså.
– ...
– Jag är här på semester.
– ...
– Jag badar, solar och brädseglar ibland.
– ...
– Jag jobbar på ett apotek.
– ...
– Nää! Det är jättetråkigt!
– ...
– 21. Snart 22.
– ...
– På lördag? Inget speciellt.
– ...
– Ja, varför inte?

```
. . . . . . . . . . . . . . . . .
.                               .
.          NYA ORD              .
.          badar                .
.          solar                .
.          brädseglar           .
.          jättetråkigt         .
.          semester             .
.                               .
. . . . . . . . . . . . . . . . .
```

⚠️ 20. Hos polisen

– Efternamn?
– Lundin.
– Förnamn?
– Orvar.
– Hursa?
– Orvar. O-R-V-A-R.
– Personnummer?
– 660108-1893.
– Adress?
– Stupvägen 3.
– Postnummer?
– 123 45.
– Och det är … ?
– Farsta.
– Jaha. 123 45 FARSTA.
– Civilstånd?
– Jag är ogift.
– Längd?
– En och … åttio, tror jag.
– Hårfärg?
– Jag är väl blond?
　　Tja … mörkblond, kanske.
– Yrke?
– Konstnär.
– Jaså. Målar du?
– Jaa.
– Och du vill ha ett pass idag?
– Ja, jag reser imorgon!
– Varsågod och sätt dig ner och vänta.
– Tar det lång tid?
– Nej, högst en halvtimme.

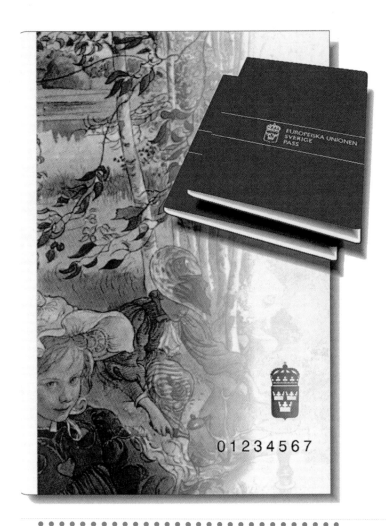

NYA ORD

ett förnamn	ett yrke
ett efternamn	ett civilstånd
en gatuadress	ett personnummer
ett postnummer	en längd
ett pass	en hårfärg

21. Vad heter man i Sverige?

Svenska efternamn	Flicknamn	Pojknamn
Johansson	Emma	Oscar
Andersson	Julia	Filip
Karlsson	Elin	Simon
Nilsson	Hanna	Erik
Eriksson	Amanda	Anton
Larsson	Linnéa	Viktor
Olsson	Wilma	Alexander
Persson	Matilda	William
Svensson	Moa	Jonathan
Gustafsson	Ida	Emil

(Källa: SCB 2000; de vanligaste efternamnen)

(Källa: SCB 1998; de vanligaste tilltalsnamnen som getts till flickor/pojkar)

 Fakta

Alla som bor i Sverige, svenskar och ca 500 000 utländska medborgare, har ett personnummer:

Siffra 1 och 2 betyder födelseår. Orvar Lundin (i stycket 20) är alltså född 1966.

Siffra 3 och 4 är födelsemånad. Orvar är alltså född i januari.

Siffra 5 och 6 är födelsedatum. Orvar är alltså född den åttonde.

Siffrorna 7-8 visade tidigare födelseort, men väljs nu slumpmässigt.

Är du man eller kvinna? Det ser man på siffra 9: udda nummer = män jämna nummer = kvinnor.

Siffra 10 är en kontrollsiffra.

22. Vad gör de i 9:an?

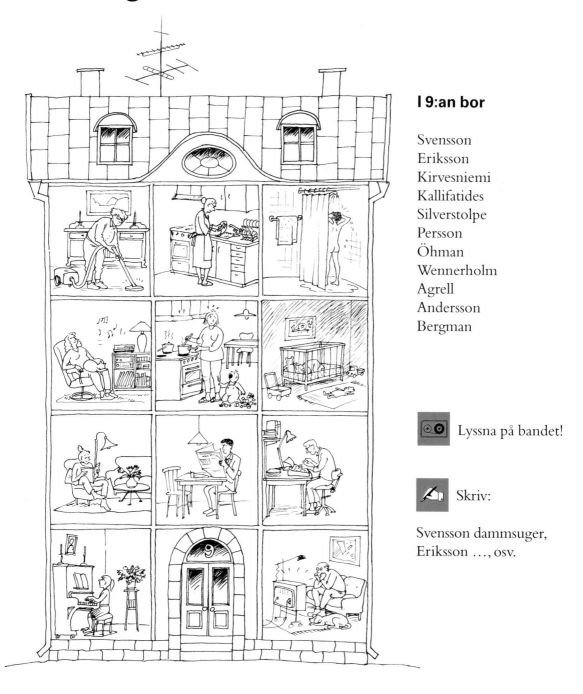

I 9:an bor

Svensson
Eriksson
Kirvesniemi
Kallifatides
Silverstolpe
Persson
Öhman
Wennerholm
Agrell
Andersson
Bergman

Lyssna på bandet!

Skriv:

Svensson dammsuger,
Eriksson …, osv.

Fakta

I Sverige bor det 8,9 miljoner invånare.
500 000 är utländska medborgare:
99 633 är finska,
15 464 är tyska,
43 010 är bosniska och
26 756 är irakiska.
(Källa: SCB årsskiftet 1998/99)

VERB

dammsuger	spelar piano
lyssnar på Vivaldi	läser tidningen
duschar	sover
lagar mat	diskar
skriver maskin	tittar på teve
läser tidningen	

23. Vem gör vad hemma?

Vem tvättar, handlar mat, syr, tvättar fönster, dammsuger, lagar mat, diskar, bäddar och städar hemma? Är det du? Eller mamma eller pappa? Eller din man eller din fru? Vem stryker, snickrar, målar och betalar räkningar? Vem talar i telefon hela tiden? Vem lagar bilen? Vem sover alltid middag? Vem går upp först?

Vem städar alltid varje helg?

Vem {
älskar klassisk musik?
tittar nästan aldrig på teve?
fyller år nästa månad?
skriver minst två brev varje vecka?
går ofta på bio?
har katt?
spelar piano?
ser på teve varje kväll?
sjunger bra?
bor nära skolan/universitetet?

 Diskutera detta i klassen!

 Skriv ner resultatet!

 Fråga alla i klassen!

 Presentera resultatet!

Fråga så här:
"Spelar du piano? Älskar du klassisk musik? Fyller du år nästa månad? Skriver du minst två brev varje vecka?" etc.

24. Hem till Sverige

Lotta sitter i flygplanet på väg hem till Sverige.
Hon tittar ut genom fönstret.
Till höger ser hon Skåne.
Till vänster ligger Danmark.
Efter en stund ser hon en sjö.
"Är det Vänern eller Vättern?",
tänker hon. Hon vet inte.
Hon tar fram flygplanets tidning
och tittar på en karta. Det ligger
en ö mitt i Vättern. Hon tittar ut igen.
"Det är Vättern", konstaterar hon.
Efter en halvtimme ser hon
Stockholm, och efter en kvart
landar planet på Arlanda.
Där tar hon en buss till Stockholms
Central. Hon äter middag på en
restaurang nära Centralen, och en
timme senare sitter hon på ett tåg
till Kiruna. Hon har tur och får en
egen sovkupé. I Sundsvall somnar hon.
Nästa morgon vaknar hon klockan åtta,
och efter en halvtimme rullar tåget in på
Kiruna järnvägsstation. Från stationen
tar hon taxi hem. Långt borta ser hon
Kebnekaise.

FRASER

hon flyger	hon åker bil
hon åker tåg	hon åker taxi
hon åker buss	hon cyklar

 Fakta

Kiruna ligger i Lappland, ett landskap
i norra Sverige. Det är en stor kommun
till ytan, men bara cirka 25 000 bor där.
Nästan alla arbetar på LKAB, ett gruv-
bolag. I gruvan bryter man järnmalm.
En del av järnet använder man inom
svensk industri, men en stor del går
på export. Det finns en raketbas, Esrange,
i Kiruna också. Och i kommunen ligger
Kebnekaise, Sveriges högsta berg,
2 111 meter över havet.

Kan du geografi?

Sveriges huvudstad heter Stockholm.
Danmarks huvudstad heter Köpenhamn
på svenska. Finlands huvudstad heter
Helsingfors.

 Och Norges? Och Frankrikes?
Spaniens? USA:s? Schweiz?

---

§ GENITIV: SUBST + S

Lottas arbete
Professor Bergmans bil
Mammas och pappas säng
Texas befolkning är 18 miljoner

Ord som slutar på **–s, –x eller –z** får inget extra -s.
(Svenskan använder oftast ingen apostrof.)
Texas befolkning
Schweiz huvudstad
Max syster

 Peka på några saker i klassrummet
och säg:
"Det är Svens pärm. Det är Annas bok.
Det är Ivans suddgummi." etc.

 Och hur kommer du till jobbet,
kursen etc.? Intervjua varandra
i klassen!

 Lyssna på bandet!

Hur kommer de till jobbet, skolan, kursen etc.?
1) Johan   5) Familjen Svensson
2) Elisabeth   6) Läraren
3) Margareta   7) Direktör Berg
4) Åke   8) Eleven

25. Sverige

Sverige är en del av Europa. Sedan 1995
är landet medlem i EU. Sverige tillsammans
med Danmark, Finland, Island och Norge
kallar man Norden. Inom Norden behöver
en svensk inte pass eller till exempel arbets-
tillstånd.

   Sverige är ett avlångt land: från
Smygehuk i söder till Treriksröset i norr
är det 160 mil = 1 600 kilometer. Från
Smygehuk till Rom, Italiens huvudstad,
är det också 160 mil. (*Så* långt är Sverige!)

   I norra Sverige skiner solen 24 timmar
om dygnet under sommaren (ibland är det
förstås mulet!), men på vintern är det mörkt
och kallt, fast snön lyser upp landskapet.

   Stockholm ligger på samma breddgrad
som Grönlands sydspets och Alaska och
Sibirien. Varför är det inte så kallt? Det beror
på Golfströmmen. Den flyter förbi i Atlanten
utanför Skandinavien, och den är varm.

   Det bor cirka 8,9 miljoner människor
i Sverige. Nästan alla talar svenska. I Lappland
bor det samer. De talar samiska också. I
Tornedalen, vid gränsen till Finland, talar
många fortfarande finska. I Finland är
svenska ett officiellt språk. Cirka 6 procent
talar svenska men många fler förstår det.
(Man läser svenska i skolan).

   I utlandet studerar många studenter
(cirka 50 000) svenska. Och snart talar
du också svenska!

26. Familjen Bernadotte

Här ser vi Sveriges kung, Carl XVI Gustaf, och hans drottning, Silvia, född Sommerlath. Deras tre barn heter Victoria, Carl Philip och Madeleine. Victoria är Sveriges kronprinsessa. Fotot är taget 1998.

Kungen har fyra systrar, prinsessorna Margaretha, Birgitta, Désirée och Christina. Drottning Silvia har alltså fyra svägerskor, men varken svärfar eller svärmor.

Till höger ser vi också kungen, men här är han bara ett par månader gammal. Till vänster sitter hans farfar, Gustaf VI Adolf, i mitten står hans far, prins Gustaf Adolf, och till höger sitter hans farfarsfar, Gustaf V.

Kungen tillhör en internationell släkt. Drottning Silvia kommer från Tyskland men är uppväxt i Brasilien och talar tyska, engelska, franska, portugisiska och svenska. Kungens mor var också från Tyskland, och hans farmor från England. Han har en kusin i Danmark och släktingar i Norge och Frankrike. Ätten Bernadotte kommer ursprungligen från Frankrike. Jean Baptiste Bernadotte var en av Napoleons generaler, och han blev kung i Sverige år 1818 med namnet Karl XIV Johan.

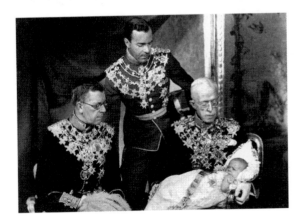

Svenska regenter

Gustav Vasa	1523 – 1560
Erik XIV	1560 – 1568
Johan III	1568 – 1592
Sigismund	1592 – 1599
Karl IX	1599 – 1611
Gustav II Adolf	1611 – 1632
Kristina	1632 – 1654
Karl X Gustav	1654 – 1660
Karl XI	1660 – 1697
Karl XII	1697 – 1718
Ulrika Eleonora	1719 – 1720
Fredrik I	1720 – 1751
Adolf Fredrik	1751 – 1771
Gustav III	1771 – 1792
Gustav IV Adolf	1792 – 1809
Karl XIII	1809 – 1818
Karl XIV Johan	1818 – 1844
Oskar I	1844 – 1859
Karl XV	1859 – 1872
Oskar II	1872 – 1907
Gustaf V	1907 – 1950
Gustaf VI Adolf	1950 – 1973
Carl XVI Gustaf	1973 –

27. Varför läser du svenska?

Vi är på en kurs i svenska. Läraren frågar:
Varför läser ni svenska egentligen?

Adam:	Min morfar är från Sverige.
Läraren:	Jaså? Bor han här nu?
Adam:	Ja, och han talar svenska fortfarande.
Läraren:	Hur gammal är han?
Adam:	80 år.
Läraren:	Jaha ... Någon annan? Ja, Liza?
Liza:	Jag tycker mycket om Ingmar Bergman.
Läraren:	Säger du det? Ja, jag förstår inte hans filmer. Och du då, Kim, varför läser du svenska?
Kim:	Jag är intresserad av svensk musik.
Läraren:	Jaså, vad då för musik? Klassisk eller modern? Eller popmusik? Kanske ABBA?
Kim:	Nej, nej, jag studerar folkmusik. Fiol och nyckelharpa ...
Läraren:	Jaha ... Och du, Peter?
Peter:	Jag läser tyska och jag behöver ett ämne till.
Anna:	Jag har en svensk brevvän.
Läraren:	Vad skriver ni på för språk?
Anna:	På engelska, så klart! Men snart går vi över till svenska!
Läraren	Det är bra, Anna. Och du, Sara?
Sara:	Min pojkvän är från Sverige.

Läraren:	Jaså? Var bor han då?
Sara:	Han bor i Sverige just nu, men vi skriver varje dag.
Läraren:	Varje dag! Å, så romantiskt! Och du, Boris, varför läser du svenska?
Boris:	Jag vet inte!
Läraren:	Som vanligt, då!

 Och ni?

Varför läser ni svenska?
Fråga varandra i klassen!

33

28. En karta

– Det här är en karta över Sverige.
  Nummer 1 är Malmö.
– Vad är det för någonting?
– Det är en stad.
– Var ligger den?
– Den ligger i Skåne.

– Nummer 2 är Karlskoga.
– Vad är det för någonting?
– Det är också en stad.
– Var ligger den?
– Den ligger i Värmland.

– Men vad är Värmland för någonting då?
– Det är ett landskap. Det ligger i västra
  Sverige, och det är nummer 3.
– Skåne, nr 4, är också ett landskap, men
  det ligger i södra Sverige.

– Vad är nummer 5 för någonting?
– Det är en ö, och den heter Gotland.
  Den ligger där, i östra Sverige.
  Men det är ett landskap också.

– Vad är Hornavan för någonting?
– Det är en sjö. Den har nummer 6
  på kartan.
– Var ligger den?
– Den ligger i norra Sverige, i Lappland.

 Förhör läraren! Fråga:

–Vad är nummer x?
–Var ligger den/det?
–Vad är ...?
–Vad har den/det för nummer?
–Var ligger den/det?

1. Malmö
2. Karlskoga
3. Värmland
4. Skåne
5. Gotland
6. Hornavan
7. Kiruna
8. Siljan
9. Kalmar
10. Dalarna
11. Vänern
12. Örebro
13. Uppsala
14. Umeå
15. Bohuslän
16. Torneälv

NYA ORD
norra
västra
östra
södra

§ DET ÄR EN/ETT/PLURAL ...
Vid presentering av någon/något
använder man frasen
Det är ...

det är en sjö
det är ett landskap
det är herr Öhman
det är herr och fru Sjöberg

29. Mat

Det finns många avdelningar på ett varuhus:
en parfymavdelning, en sportavdelning,
en elavdelning, en skoavdelning osv.
Dessutom finns det ofta en stor
livsmedelsavdelning. Där finns
det frukt, grönsaker, drycker, kött,
konserver, bröd, mejerivaror etc.

Vi går in, tar en korg och går runt
och tittar på alla varor och priser.
Vi har bara tvåhundra kronor! Hur
mycket får vi för tvåhundra kronor?
Välj mat till frukost och middag!

en liter mjölk kostar 7:00
ett kilo äpplen kostar 16:50
ett kilo apelsiner kostar 18:00
ett paket torsk kostar 32:50
en burk öl kostar 10:50 (utan pant)
ett kilo päron kostar 17:00
en gurka kostar 6:50
ett paket köttbullar kostar 34:00
ett paket ägg (sex stycken) kostar 12:00

en korvbit (100 g) kostar 15:50
en limpa kostar 18:00
ett paket ris kostar 23:50
ett hekto räkor kostar 15:00
300 gram margarin kostar 14:00
ett kilo potatis kostar 6:50
två fläskkotletter kostar 22:00
ett paket ärter kostar 11:50
ett paket flingor kostar 26:00
ett kilo bananer kostar 19:00
ett paket glass kostar 10:00
ett kilo tomater kostar 19:50
en ostbit (400 gram) kostar 28:00
två frallor (franskbröd) kostar 7:00
ett wienerbröd kostar 8:00
ett hekto skinka kostar 14:50
avokador kostar 8:00 styck

§ PLURAL

1. -or	**en** krona	två kron**or**
2. -ar	**en** avdelning	två avdelning**ar**
	en köttbulle	två köttbull**ar**
3. -er	**en** apelsin	två apelsin**er**
-r	**en** sko	två sko**r**
4. -n	**ett** äpple (vokal)	två äpple**n**
5. -	**ett** päron (konsonant)	två päron
	en lärare	två lärare

Det finns inte regler för pluralformer för *alla* substantiv!

En del – särskilt svensklärare –
tycker illa om s-plural, men
många använder den till några
främmande ord. Efter en tid
med s-plural får sådana ord
ofta en "svensk" pluralform.
*Exempel: Tidigare studio**s** –
nu studio**r**.*

Vad heter det i pluralis?

Vad heter "klocka" i pluralis? Klockor.
Och varför? Det är ett "en-ord" (utrum) och
det slutar på -a.
Och vad heter "paket" i pluralis? Paket!
Varför? Jo, det är ett "ett-ord" (neutrum) och
det slutar på konsonant.

 Bilda plural:

en lampa	ett varuhus
en stol	en konserv
ett skåp	en våning
en brandsläckare	en lektion
ett fönster	ett universitet
en gardin	en pojke
en soffa	ett piano
ett äpple	en limpa
en toalett	ett wienerbröd
ett hotell	ett jobb
en avdelning	en tidning
en diskbänk	en vägg
en familj	en garderob
en kopp	

Vad har man öl i?

Välj en passande "förpackning"!

	öl
	mjölk
	vin
	smör
	margarin
	kaviar
	glass
	ris
en burk	socker
en flaska	kaffe
ett paket	te
en tub	majonnäs
en påse	mjöl
en ask	ärter
en bägare	sylt
	yoghurt
	bullar
	spenat
	senap
	ketchup
	tändstickor
	cigarretter

Redovisa så här:

Öl har man i burkar, flaskor eller bägare.
I burkar har man öl, kaffe, te, sylt, senap.

---

§ **DET FINNS** + **OBESTÄMT SUBSTANTIV**

Det finns	en	sportavdelning	på varuhuset.
	ett	varuhus	i staden.
	många	avdelningar	på ett varuhus.

några en-ord på
-el	cykel	cyklar
-en	fröken	fröknar
-er	åker	åkrar

30. En sommarstuga på hjul

Lasse och Mona Albäck har semester fem veckor varje år. Då åker de runt i Sverige, till Öland, västkusten eller Norrland t.ex. De bor inte på hotell, för de har en husvagn, en stor husvagn med plats för fyra personer. Så här ser den ut:

Den är sex meter lång och två meter bred och tolv kvadratmeter stor. Det finns en dusch, en toalett, en spis, ett kylskåp, en ugn och en disk-bänk och flera skåp. De har också en soffa, ett bord, fyra stolar och två sängar, två garderober, två sänglampor och en taklampa. Det finns tre fönster också och gardiner. Dessutom har de en teve och en radio.

Är det allt? Nej visst nej! En brandsläckare har de också, förstås!

Fakta

Av samtliga 3 670 335 hushåll i Sverige bor
85% i städer eller tätorter
15% på landet
48% i småhus
15% i insatslägenheter
40% i hyreslägenheter

Av samtliga 3 863 439 lägenheter har
13% 1 rum och kök
23% 2
24% 3
19% 4
21% 5 rum och kök eller mer

En villa är i genomsnitt 123 m² *(kvadratmeter)*
ett radhus   124 m²
en lägenhet   67 m²
(Källa: SCB 1991)

 Hur bor du?
Hur många rum har du?
Intervjua varandra!

Redovisa resultaten!

31. Medelsvensson

Medelsvensson heter Erik Johansson och är en typisk svensk. Han är 179 cm (centimeter) lång, *mellanblond* och ganska *tystlåten*. Han är gift och har 1,7 barn. Han arbetar *7,6* timmar om dagen, och han *trivs ganska bra* på jobbet.

Han bor i ett småhus på tre och ett halvt rum och betalar *3 900 kr* i månaden i hyra. Han *tycker om sin fru* och kallar henne *"lilla gumman"*, när han är på gott humör. *0,8* gånger i veckan älskar de.

När han inte är på gott humör, säger han *"tanten"* eller *"kärringen"*. Han hjälper till i köket en halvtimme i veckan och dammsuger 28 minuter var fjortonde dag.

På morgonen äter familjen *fil och flingor* och Erik dricker *en och en halv kopp kaffe med en sockerbit.*

En gång i veckan äter han *köttbullar, korv, pannkaka* och *ärtsoppa* och *fisk* av något slag. På lördagarna dricker han *en halv flaska vin* eller *två starköl.*

Varje kväll ser han på tv★ 106 minuter, men hela familjen sitter och tittar 102 minuter om dagen.

Erik läser *0,7* böcker i veckan. En halvtimme om dagen läser han tidningen.

På fritiden vill han helst lyssna på radio eller titta på tv. Han joggar max 5 minuter i veckan eller åker skidor på vintern. Han jagar eller fiskar 3 minuter i veckan.

Sedan 1978 har familjen 5 veckors semester. Då åker de till Spanien eller till släktingar på landet.

Erik tjänar 146 000 kr om året och betalar *34 procent* i skatt. Av sin inkomst sparar Erik *0,1 procent* på banken. Det blir nästan aldrig någonting över. Därför spelar han på lotto och tips. Ibland vinner han. På ett år blir det *11 kronor* i genomsnitt.

(Källor: Sveriges Radio: Mediabarometern SCB 1988)

Det här vet vi. *Det här tror vi.* Vad tror du? Dessa siffror är från 1988. Tror du att något har förändrats?

 Diskutera dina och andras vanor i landet du kommer från!

★ man skriver både tv, teve och TV

---

§ UTTRYCK FÖR FREKVENS

två gånger **i** minuten	två gånger **om** dagen	"naturliga" tider =
i timmen	**om** året	jorden går runt ett varv **om** dagen,
i veckan		jorden går runt solen ett varv **om** året
i månaden		

32. Östra Storgatan

Jessica bor i Jönköping. Det är en ganska liten stad. Den har drygt 100 000 invånare. Men ändå finns nästan allting där. Mitt i Jönköping går Östra Storgatan. Vi går den ungefär 500 meter, från Konsum till Handelsbanken (se kartan!). Vi ser en massa affärer.

 Hur många ...

banker
tandläkare
urmakare
varuhus
försäkringsbolag
klädaffärer
frisörer
apotek
läkarmottagningar
guldsmeder
postkontor
resebyråer
biografer
restauranger
glassbarer
konditorier etc
... hittar du?

Karta över Jönköping

(Fritt ur minnet)

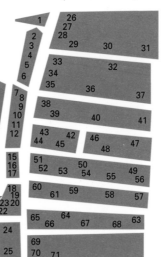

1 Handelsbanken
2 Guldsmed
3 Optiker
4 Wasa försäkringar
5 Urmakare
6 Sparbank
7 Fotvård
8 Nordbanken
9 Tandläkare
10 Solarium
11 Tandläkare
12 Apotek
13 Glassbar
14 Åhléns
15 Biljard
16 Hallbergs guld
17 Herrkläder
18 Lyktans lampor
19 Herrkläder
20 Orientmattor
21 Glas & porslin
22 McDonald's
23 Foto Quick
24 Post
25 Konsum
26 Rehns kappor
27 Folksam försäkringar
28 Guldsmedja
29 Frisör
30 Bergs konditori
31 Sport
32 Herrkläder
33 Götabanken

34 Bergmans bokhandel
35 Barnkläder
36 Atlas Resebyrå
37 Systembolaget
38 Trygg-Hansa försäkringar
39 SEB
40 TBV
41 Urmakare
42 Bio
43 Skor
44 Garn
45 Skivor
46 Tobak
47 Trafikskola
48 Hälsokost
49 Damfrisering
50 Läkarmottagning
51 Leksaker
52 Optiker
53 Parfym
54 Tidningar & tobak
55 Tyger
56 Blommor
57 Pälsar
58 Herrkläder
59 Glas & porslin
60 Blommor
61 Konditori
62 Konditori
63 Damkonfektion
64 Handskar & väskor
65 Optiker Nilsson
66 Damskor
67 Damkläder
68 Leksaker
69 Företagsbanken
70 Sparbanken
71 Restaurang Amadeus

Fakta

Jönköping är en kommun. Det finns 290 kommuner i Sverige. Jönköping har 115 987 invånare och ligger i Småland. Småland är ett landskap. Det finns 25 landskap i Sverige *(se s. 170)*.

Några andra kommuner i Sverige

Stockholm	736 113
Göteborg	459 593
Malmö	254 904
Uppsala	187 302
Linköping	131 948
Västerås	124 780
Örebro	122 641
Norrköping	122 415
Helsingborg	116 337
Jönköping	115 987

Källa: SCB årsskiftet 1998/1999

Många barn samlar på olika saker:

stenar
bilder
frimärken
dockor etc.

Fråga några kamrater i klassen:
"Vad samlar du på?"

 Skriv svar i *pluralis*:
"Eva samlar på dockor och frimärken
och ..."

 Fråga gärna läraren efter nya ord:
Fråga så här:
"Vad heter ... på svenska?"

 Krister och Gunilla flyttar ihop nästa
vecka i en tvåa. Vad behöver de för
möbler, husgeråd etc? Skriv *en lista*!

 En del personer är rädda för ...

ormar
spindlar
spöken etc.

Fråga läraren efter nya ord!

Vad är du rädd för?
Och de andra i klassen? Fråga!

 Redovisa! Skriv i *pluralis*!
"Jag är rädd för ormar och spindlar
och ..."

 Hur många substantiv kan du
pluralformen på?
Skriv under pluralrubriker:

-or	*t.ex. flickor*
-ar	*bilar*
-er	*kamrater*
-n	*spöken*
–	*varuhus*

 Hur många?

1. Hur många kommuner finns det
   i Sverige?
2. Hur många landskap finns det?
3. Hur många insjöar finns det?
4. Hur många invandrare finns det?
5. Hur många medlemmar har Svenska
   Akademien?
6. Hur många procent gifter sig i Svenska
   kyrkan?
7. Hur många invånare har Sverige?
8. Hur många veckors semester har de
   flesta svenskar?
9. Hur många politiska partier finns det
   i riksdagen?
10. Hur många städer har över 100 000
    invånare?
11. Hur många rätt har du?
12. Hur många rätt har läraren?

33. Hur äter du?

Många personer slarvar med maten. De äter nästan ingenting till frukost; en kopp kaffe och en bulle kanske. Sedan hoppar de över lunchen och äter i stället en ordentlig middag på kvällen, kanske ute på restaurang med vänner.

Andra äter en rejäl lunch – många restauranger serverar "dagens rätt" till ett billigt pris – och sedan äter de bara en smörgås framför teven på kvällen. Det är inte heller bra. Men hur ser en bra "matdag" ut? Jo, så här, ungefär:

Till frukost äter du en tallrik gröt eller en tallrik filmjölk med müsli. Du brer en eller två smörgåsar och dricker ett glas juice och avslutar kanske med en kopp kaffe eller te. Då får du vitaminer, proteiner och lagom med kalorier.

En ordentlig lunch består av en varmrätt med potatis, makaroner eller ris, mycket grönsaker och kanske fisk, fläsk eller kött. Två skivor bröd äter du också och gärna en frukt efter maten och, okej då, en liten kopp kaffe, men bara en!

Till middag, slutligen, äter du däremot en lätt måltid med mycket grönsaker. Och du, inget kaffe på kvällen, för då sover du inte så bra.

Fakta

Några populära maträtter
Falukorv
Fläskkotletter
Havregrynsgröt
Köttbullar
Pannkakor
Pizza
Ärter med fläsk
Varm korv/grillkorv
Ärtsoppa

Vad äter svensken?

	Kg/person/år
Bröd och spannmål	79,8
Kött och köttvaror	57,6
Fisk	17,8
Ost och matfett	36,5
Potatis och potatisprod.	69,5
Grönsaker	43,1
Frukt och bär	92,5
Socker och sirap	17,5
Glass	13,8
Kaffe, te, kakao	10,6

(Källa: Sverigefakta 1991)

 Tror du att matvanorna har förändrats under det senaste decenniet? Vilka maträtter kan ha tillkommit?

 Gör en undersökning i klassen:
Vad äter ni till …
… frukost
… lunch
… middag?

 Lyssna till texten
"Vad äter de till frukost?"

Skriv ner vad de äter!

Exempel: Joakim äter …
Morfar äter …
Mamma äter …

34. Vad tycker du om?

Jag tycker om mat!
Jag tycker inte om morgnar!

 Vad tycker du om?
Skriv några exempel!

Jag tycker om …

Jag tycker om pojkar!
Jag tycker inte om skolan!

 Vad tycker du inte om?
Skriv några exempel!

Jag tycker inte om …

Jag tycker om musik!
Jag tycker inte om oväsen!

 Fråga varandra:

Vad tycker du om?
Vad tycker du inte om?

Jag tycker om bilar!
Jag tycker inte om cyklar!

 Redovisa så här:

Igor tycker om …
Anna tycker inte om …
Skriv många exempel!

Jag tycker om mjölk!
Jag tycker inte om öl!

§ ORDFÖLJD

fundam.	verb	subj.	adverb	partikel	objekt
Han	tycker	–	inte	om	mjölk
Hon	tycker	–		om	öl
Vad	tycker	du	inte	om	?
Vad	tycker	du		om	?

Alltså: partikel *före* objekt och *efter* satsadverb

35. Gabriel flyttar in

På Armégatan i Solna ligger ett studenthem.
Gabriel flyttar in där idag. Han kommer
med en skåpbil med en massa saker: kläder,
böcker, en gitarr, en stereo, två högtalare,
en dator, en bordslampa, en taklampa,
en skivstång, en spegel, två affischer
med Marilyn Monroe och en
fåtölj. Han parkerar bilen
utanför porten och bär
tillsammans med
en kamrat upp
allting och ställer
det i korridoren.
Rummet är på
18 kvadratmeter.
Det finns redan
en del möbler
i rummet: en säng,
ett skrivbord,
en stol, en fåtölj,
en golvlampa,
en bokhylla och
en garderob. Det
finns några skåp också.

Gabriel ställer skrivbordet vid fönstret,
och sängen ställer han vid väggen. Han
ställer en av fåtöljerna mellan sängen och
garderoben. Golvlampan ställer han bakom
fåtöljen. Taklampan hänger han i taket och
affischerna sätter han upp på väggen.

Kläderna hänger han in i garderoben och
några andra prylar stoppar han in i skåpen.
Han sätter böckerna i bokhyllan och datorn
på skrivbordet. Skivstången lägger han under
sängen och högtalarna ställer han på golvet.

Sedan finns det inte mycket plats kvar!

Skriv bestämd form
(sing. eller plur.) till:

telefon	yrken
klocka	diskotek (plur.)
hus (sing.)	bil
hundar	poliser
brev (sing.)	lampa
piano	frukost
päron (plur.)	paket (plur.)
lektioner	kunder
frågor	böcker
maskiner	kamrater
våning	skåp (plur.)
pass (plur.)	problem (sing.)
bussar	problem (plur.)
svar (sing.)	

§ BESTÄMD FORM PLURALIS

			Plural
skolor	skolorna		
bilar	bilarna	en-ord	-na
filmer	filmerna		
äpplen	äpplena	ett-ord på vokal	-a
hus	husen	ett-ord på konsonant	-en

36. Bönder

Det finns inte så många bönder i Sverige.
Bara drygt 2 procent av alla svenskar arbetar
inom jordbruket. Det finns ungefär 80 000
jordbruk på i genomsnitt 34 hektar
(340 000 kvadratmeter) åkrar
och ängar.

Bönderna odlar t.ex.
vete, råg, raps och potatis,
och många äger skog också. Men
många odlar nästan ingenting. De har djur
istället, t.ex. kor, svin, får, höns och
kycklingar. Från hönsen får vi ägg, från fåren
ull och kött, från svinen fläsk och från korna
kött och mjölk. Varje ko ger i genomsnitt
cirka 8 400 liter mjölk per år.

Vi odlar frukt och grönsaker också
i Sverige, men det räcker naturligtvis inte.
Därför importerar vi t.ex. tomater från
Holland, gurka från Spanien och
apelsiner från Israel.

(Källa: Statens jordbruksverk 1998/1999)

 Titta inte på texten!

 Svara på frågorna!

1. Hur många bönder finns det i Sverige?
2. Hur stort är ett jordbruk (i genomsnitt)?
3. Hur många svenskar arbetar inom
   jordbruket?
4. Vad odlar bönderna?
5. Vad finns det för djur på jordbruken?
6. Vad får vi från djuren?
7. Hur mycket mjölk ger en ko per dag?
8. Vad importerar vi och vad importerar
   vi inte?

Import

Här är några saker från olika länder:

en teve

en ost

en dator

ett äpple

stövlar

ett glas

en klocka

en lampa

ett bord

tulpaner

 Varifrån är de? Svara så här:

Teven är från Japan.
… är från Finland.
… är från Tyskland.
… är från Holland.
… är från Schweiz.
… är från Hong Kong.
… är från Tjeckien.
… är från Danmark.
… är från Italien.

 Skriv en egen "dikt" i best form:
"Jag frågar …"

37. Hur man tackar

I Sverige tackar man alltid för allting. "Tack, tack," säger man eller "tackar, tackar". Man tackar för maten, man tackar för sällskapet, man tackar för lånet, man tackar för uppmärksamheten. Ibland tackar man för att någon tackar! En typisk dialog vid en kiosk:

– En kvällstidning, tack.
– Var det bra så?
– Nej, ett paket Blend också, tack.
– Tackar. Något annat?
– Nej tack, det var bra så!
– Det blir 35 kronor jämnt!
– Varsågod!
– Tack.
– Tack så mycket.
– Tack, tack.

 Tack så hemskt mycket!

Du får *en present.*
Du får *hjälp* med något.
Du *äter* en god middag.
Du *lånar* något.
Du får *kaffe.*
Du får *en bok* som present.
Någon bjuder på *en resa.*
Du får *sällskap* med någon.
Du får *ett* gott *råd.*
Du får flera *presenter.*
Du får en påse med *äpplen.*
Du får sex *vinglas* i present.
Du får *tidningar* av någon.
Du får *blommor.*

Då säger du: Tack för presenten!
Då säger du: Tack så mycket för hjälpen!
Efteråt säger du: Tack för maten!
Efteråt säger du: Tack så hemskt mycket för lå ... !
Vad säger du efteråt? Tack för ... !
Vad säger du? Tack för ... !
Vad säger du efteråt? Tack för ... !
Vad säger du efteråt? Tack för ... !
Du tackar och säger: Tack så mycket för ... !
Vad säger du? Tack så mycket för ... !
Du säger: Tack för ... !
Du tackar och säger: Tack för ... !
Du tackar och säger: Tack för ... !
Du tackar och säger: Tack för ... !

⚠ 38. Prepositioner

Blomman står **i** hörnet.
Teven står **mitt emot** soffan.
Tavlorna hänger **på** väggen.
Hunden ligger **under** bordet.

Mattan ligger **på** golvet.
Bokhyllan står **mellan** högtalarna.
Högtalarna står **på** golvet.
Bokhyllan står **bakom** fåtöljen.
Golvlampan står **bredvid** fåtöljen.

Stolarna står **runt omkring** bordet.
Vasen står **mitt på** bordet.
Taklampan hänger **över** bordet.
Bordet står **framför** fönstret.

 Titta på bilderna!
Var står soffan, sängen etc.?

Fåtöljen står ... bokhyllan.
Böckerna står ... bokhyllan.
Mannen sitter ... fåtöljen.
Vasen står ... lampan.
Lampan står ... teven och blomman.
Bordet står mitt ... golvet.

46

39. I affären

Fru Gyllenrik går in i en guldsmedsaffär:

Expediten: – God dag!

Fru G: – God dag! Jag letar efter ett halsband till en fest ikväll.

E: – Jaha. Här har vi ett – med pärlor från Miyamoto!

G: – Hur mycket kostar det?

E: – Det kostar 180 000 kronor.

G: – Det tar jag!

E: – Tackar så mycket! Någonting annat?

G: – Jag behöver örhängen också!

E: – Jaha. Här har vi ett par – äkta guld och diamanter i 18 karat!

G: – Hur mycket kostar de?

E: – De kostar bara ... 75 400 kr.

G: – Dem tar jag!

E: – Var det bra så?

G: – Nej, jag behöver en brosch också.

E: – Vi har en diamantbrosch här... Den kostar 250 000.

G: – Vad bra! Den tar jag!

E: – Något annat kanske?

G: – Hårnålar! Har ni hårnålar?

E: – Jadå. Vi har allting! De kostar... 4:80 för 20 stycken.

G: – 4:80! Tjugofyra öre styck! Så mycket! Neej, dem tar jag inte!

---

§ PRONOMEN SOM SUBJEKT OCH OBJEKT

Hon behöver en **bok**.	**Den** kostar 50 kronor.
	Den köper hon. (Hon köper **den**).
Hon behöver ett **halsband**.	**Det** kostar 50 kronor.
	Det köper hon. (Hon köper **det**).
Hon behöver **örhängen**.	**De** kostar 50 kronor.
	Dem köper hon. (Hon köper **dem**).

de **dem**	[dom]	I brev, kvällstidningar och barnböcker skriver man ofta **dom**. I vissa dialekter säger man [di] och [dem]. I radio och teve säger man nu ofta: [de] respektive [dem].

40. Samtal från Paris

Emma ringer hem från Paris:

Emma:	– Hej, hur mår ni därhemma?
Mamma:	– Bara bra, och du då?
E:	– Jag mår också bra.
M:	– Har du några pengar kvar?
E:	– Nej, de är nästan slut.
M:	– Men räcker de?
E:	– Jodå. Hur mår Felix?
M:	– Han mår bra.
E:	– Och farmor?
M:	– Hon är just här och dricker kaffe. Hon hälsar förresten.
E:	– Tack. Hälsa tillbaka. Är min bil tillbaka?
M:	– Ja, den står i garaget, och den fungerar bra nu.
E:	– Och huset? Är det klart?
M:	– Ja, vi målar och snickrar varje dag.
E:	– Jaha ... Jag kommer hem om två veckor.
M:	– Ja, du är välkommen.
E:	– Hej då!
M:	– Hej då, lilla gumman!

- - - pip pip pip pip pip pip pip pip - - - -

 Sätt in rätt pronomen: den, det, de eller dem.

Jag hittar inte övningen!
... står på sidan 30!

Jag hittar inte bilden!
... är på nästa sida.

Jag förstår inte ordet!
... står i ordlistan!

Var är pennan?
... ligger på golvet.

Var är nycklarna?
... sitter i dörren.

Var är brevet?
... ligger på bordet.

Var är skorna?
... har Elin!

Var är Östen och Ulla?
... kommer inte ikväll.

Var är suddgummit?
... har jag!

Var är glasögonen?
Du har ... på dig.

Tycker du om tavlan?
Ja, ... är vacker.

Finns det kylskåp?
Ja, men ... är litet.

41. Välkommen till Sverige!

Idag börjar en stor, internationell kongress i staden. Deltagarna kommer från nästan hela världen. På flygplatsen står landshövdingen och tar emot dem.

Först skakar han hand med Sir Malcolm och önskar honom välkommen. Sedan kramar han om gaspadin Medvjedev. Där kommer Suzuki-san och Yamada-san. Han bugar för dem och säger:

"Välkomna till Sverige!"

Sedan kommer madame Dupont. Han bugar igen och kysser henne på handen.

Till slut kommer Mr Kendall, som genast går fram till landshövdingen och dunkar honom i ryggen och säger på svenska:

"Hej! Kommer du ihåg mig? Kul att se dig igen!"

 Vilka länder kommer de ifrån, tror du? Hur hälsar man i ditt land?

---

§ OBJEKTSPRONOMEN

subjektspronomen	objektspronomen
jag [ja]★	mig / mej ★★ [mej]
du	dig / dej★★ [dej]
han	honom
hon	henne
vi	oss
ni	er
de [dom]	dem [dom]

★ I obetonad stavelse.

★★Nuförtiden skriver man ofta "mej" och "dej" i vardaglig stil.

Vilka pronomen passar?
Fyll i luckorna!

– Jag älskar ... Älskar du ...?

– Hon älskar ... men han älskar inte ...

– Vi tänker på ... men de tänker aldrig på ...

– Ni är välkomna till ... idag, så kommer vi hem till ... imorgon.

– Träffar du ... i kväll?

– Ja.

– Hälsa ... från ...!

– Kan du Lisas telefonnummer? Jag måste ringa till ... ikväll.

– Känner du Ingrid och Hasse? Vi spelar bridge hemma hos ... varje torsdag.

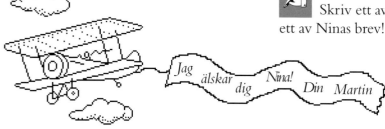

Älskar du mig?

Martin är förlovad med Nina.
Just nu gör Martin lumpen i Boden.
Nina bor i mellersta Sverige.
Varje kväll ringer Nina till Martin
eller tvärtom. Så här låter det ofta då:

 Ja, hur låter det? Lyssna på bandet!

 Skriv ner deras dialog!

Martin och Nina skickar dessutom brev och kort till varandra. Martin skriver ett kort till henne nästan varje vecka och Nina skriver långa brev till honom.

 Hur ser ett sådant kort ut, tror du?
Skriv ett av Martins kort och/eller
ett av Ninas brev!

42. Läraren skäller på eleverna

– Här kommer vi in, jag och andra lärare och undervisar er varje vecka, dag ut och dag in.
Vi ger er läxor och uppgifter, men gör ni dem? ... Nej!
Vi pratar med er, men lyssnar ni på oss? ... Nej!
Kort sagt, vi har ett problem, eller rättare sagt, **ni** har ett problem.

En elev räcker upp handen.

– Ja, vad är det nu då?

– Ursäkta, magistern, men vi har inte dig.

– Va? Har jag inte er? Är det inte 8F?

– Nej, det här är 8B.

– Typiskt. Ni är fel klass också!

43. Made in Sweden

Gunnar Lundin är en internationell svensk.
Hans fru kommer från Brasilien.
Han kör en japansk bil.
Han arbetar på ambassaden i London.
Han har ett schweiziskt armbandsur.
Han gillar fransk mat och italienska kläder.
Han åker ofta till Milano och handlar.
Hemma har han finska möbler.
Naturligtvis älskar han engelskt öl,
men han dricker gärna ungerskt vin till maten.
Men varje sommar åker han hem till Sverige.
Han älskar svenska köttbullar, svenskt kaffe
och svensk teve!

44. Ann, varuhusdirektör

Ann är chef för en stor varuhuskedja. Nu
är hon på väg till New York. Ett amerikanskt
varuhus har en svensk vecka där. På plats
i USA finns nu svenska varor: svensk mat,
svenskt öl, svenskt hantverk, svenska tyger,
svenskt glas, svenska kläder samt några
svenska expediter.

Ann sitter i flygplanet och bläddrar i några
vackra broschyrer om Sverige, svensk kultur
och svenskt kulturliv och går igenom
programmet gång på gång. På måndag börjar
det och på onsdag kommer kungen på besök.
Då blir det fullt! På torsdag kommer några
svenska författare, och på fredag kommer
några direktörer från svenska företag. Ann
är mycket nöjd med planeringen, men hon
är ganska trött nu. Efter det här är hon värd
en lång och skön semester!

§ ADJEKTIV/ attributivt

	adjektiv	obest subst	
en	svens**k**	bil	ADJ *(i ordlista)*
ett	svensk**t**	hus	ADJ + **t**
två	svensk**a**	bilar	ADJ + **a**
två	svensk**a**	hus	

§ ADJEKTIV/ predikativt

	kopula	adjektiv					
en tidning	är	svens**k**	och	en är	dans**k**	ADJ	
ett hus	är	gul**t**	och	ett är	grön**t**	ADJ + **t**	
fyra blommor	är	röd**a**	och	tre är	vit**a**	ADJ + **a**	

Adjektiv på - d:

en	rö**d**	bil
ett	rö**tt**	hus
två	rö**da**	bilar

konsonant + t:

en	svar**t**	bil
ett	svar**t**	hus
två	svar**ta**	bilar

- vokal:

en	bl**å**	bil
ett	bl**ått**	hus
två	bl**å(a)**	bilar

Fakta

Sverige importerar bl.a. detta
från följande länder:

- bilar från Japan och Västtyskland,
  kontorsmaskiner från USA,
- kläder från Italien, Finland,
  Portugal och Hongkong,
- olja från Norge och Ryssland,
- klockor från Schweiz,
- vin från Spanien, Frankrike
  och Australien

och mycket annat från många
länder både i Europa och övriga
världen. Sverige importerar mest
från Tyskland.

Vad importerar ni från Sverige?
Vad importerar Sverige från
ert land?

Nationalitetsadjektiv

Välj bland adjektiven nedan och
skriv rätt adjektiv i rätt form!

Nation	Nationalitetsadjektiv *(liten bokstav!)*
Amerika	amerikansk
Finland	finsk
Italien	italiensk
Japan	japansk
Kina	kinesisk
Polen	polsk
Ryssland	rysk
Spanien	spansk
Sverige	svensk
Tyskland	tysk
Ungern	ungersk
Österrike	österrikisk

1. Jag har en Sony-bandspelare. Det är en ...
   bandspelare.
2. Mercedes-Benz är en ... bil.

3. Egri Bikavér är ett ... vin.
4. Volvo och Saab är ... bilar.
5. Mozart är en ... kompositör.
6. Tsing Tao är ett ... öl.
7. "Sauna" är ett ... ord.
8. Zubrowka är en ... vodka.
9. Federico Fellini är en ... regissör.
10. Dallas är en ... stad.
11. Dostojevskij är en ... författare.
12. Pablo Picasso är en ... målare.
13. SKF är ett ... företag.

FÄRGER		
regel-bundna	-d -kons+t vokal	oregelbundna
gul grön brun vit skär	röd svart glå grå violett	orange rosa lila *(samma form i en-, ett-ord och plur)*

Flaggor

Hur ser Sveriges flagga ut?
– Den är blå och gul.
Och Finlands? – Den är blå och vit.

 Och Danmarks? Och Norges?
Och Tysklands? Och Englands?
Och Spaniens? Och Polens?
Och ditt lands flagga, hur ser den ut?

Adjektiv och substantiv

 Skriv adjektiv och substantiv i obestämd form!

/svart/väska	två/intressant/artiklar
/billig/kamera	/gammal/radio
två/röd/hus	/rolig/barnprogram
/ny/skor	/gammal/band
/gul/gardiner	många/vacker/blommor
/hård/säng	två/liten/diamanter
/liten/rum	
/dum/fråga	
många/intelligent/vänner	
många/svår/problem	
/vit/papper	

vokal + l, r, n + a	vokalen försvinner
n + t	n försvinner
två m bara mellan vokaler	
Exempel: *enkel + a*	*enkla*
liten + t	*litet*
gammal	*gamla*

naken	enkel
naket (n försvinner)	enkelt
nakna(e försvinner)	enkla (e försvinner)
vacker	dum
vackert	dumt
vackra(e försvinner)	dumma (två m)
liten	gammal
litet (n försvinner)	gammalt
små (oregelbundet)	gamla (ma försvinner)

45. "Sverigedikt"

Det här är Sverige:
    röda stugor, djupa skogar, blåa sjöar,
    höga fjäll ...

Det här är också Sverige:
    moderna industrier, effektiva arbetare,
    punktliga tåg, personnummer, byråkrater,
    grå tjänstemän – ett genomorganiserat
    samhälle – och det här: höga skatter,
    välfärd, långa blonda kvinnor och
    långa tysta män.

Sverige – det är rena gator, gröna parker,
    rika naturtillgångar:
    skogar, järn, älvar.

Konsum, Åhléns, ICA är också Sverige,
    liksom varm korv och bruna bönor
    med fläsk och Volvo, Saab, Scania,
    SKF och ABB.

Midsommar, Lucia, valborgsmässoafton,
    första maj, kungen, drottningen, riksdagen,
    regeringen, demokrati, Ingmar Bergman,
    Björn Borg, Greta Garbo, Birgit Nilsson.

Sverige är mycket. Vad är det för dig?

 Diskutera och

 skriv en egen "dikt"!

46. Tre folkdräkter

Än idag finns det folkdräkter i Sverige. De är inte så vanliga, men de finns kvar i alla fall. Folkdansgrupper och spelmän använder dem ofta. I varje landskap finns det olika dräkter. Här på bilden ser vi tre dräkter från Sydsverige.

Mannen har blåa strumpor, gula byxor, en mörkblå jacka och en svart hatt och dessutom en röd- och vitrandig väst. Under den har han en vit skjorta. Skorna är också svarta, och runt knäna har han röda tofsar.

Kvinnan i mitten har en vit sjal på huvudet och en över axlarna. Hon har en vit blus och över den en blommig väst, som är gul och röd. Hon har en mörkgrön kjol och över den ett skärt förkläde. På fötterna har hon vita strumpor och svarta skor.

Kvinnan till höger har en rutig sjal på huvudet. Hennes blus är också vit, men västen är blå med ljusblåa blommor. Kjolen är rödbrun. Över den har hon ett randigt förkläde, som är grått och skärt, och på armen har hon en stor, mörkröd sjal. På fötterna, slutligen, har hon gula träskor.

47. Några personbeskrivningar

Ung och vacker!

Jag är ung, rik och vacker.
Jag är duktig på nästan allt.
Jag talar till exempel fem språk flytande.
Jag är intelligent och arbetsam.
Jag har bara ett fel:
Jag ljuger ganska mycket!

Åsa

Åsa är ganska lång och smal
och har långt, blont hår.
Hon har blåa ögon,
och hon är nästan alltid glad.
Hon är duktig,
men inte särskilt flitig.
Hon är faktiskt ganska lat.
Hon är alltid snäll
och hjälpsam.
Hon lagar god mat och
bjuder gärna på middag.

Rätt eller fel?

1. Idag är det tisdag.
2. Det är varmt idag.
3. Det snöar ute.
4. Det är april.
5. Imorgon är vi lediga.
6. Svenska är ett vackert språk.
7. Läraren är trött idag.
8. Jag gör alltid läxorna!
9. Nu är det vår.
10. Jorden är rund.
11. Spriten är billig i Sverige.
12. Sverige har vänstertrafik.
13. Jag talar bra svenska.
14. Vi är tio elever i klassen idag.
15. Det finns människor på månen.
16. Vi har en ung, snäll och vacker lärare.
17. Jag är inte alls lat!
18. Morgonstund har guld i mun.
19. Sverige är ett stort land.
20. Jag tycker om svensk folkmusik.

  Men hur är Nicklas?
Lyssna på bandet och skriv!

 Skriv gärna egna meningar och
ge till de andra i klassen och gör
sedan på samma sätt!

NYA ORD
retar
sula
tjänar
hyra
nöjd

48. I fotoaffären

– Hej! Jag behöver en fotoväska. Har ni det?
  Är det där en fotoväska?
– Ja, just det. Det är en ny modell.
  Den är mycket bra.
– Vad kostar den?
– Bara 650. Det är inte så dyrt.
– Vad kostar den där väskan då?
– Vilken? Å, den där? Den kostar
  295 kronor, men den är inte lika bra.
  Nej, den där för 650 kronor
  köper alla professionella fotografer.
– Jaså, säger du det? Men jag behöver
  ett stativ också. Vad kostar det?
– Då ska du ta det här stativet! Det kostar
  bara 800 kronor, det är av lättmetall och
  mycket stabilt.
– Mja ... jag vet inte ...
– Vet du vad? Du ser trevlig ut! Du får det här
  stativet och kameraväskan för 1 400! Och så får
  du en film på köpet! Det är väl en fin affär?

DEMONSTRATIVA PRONOMEN + BESTÄMD ÄNDELSE

den här	väskan	den där	väskan
det här	huset	det där	huset
de här	väskorna	de där	väskorna
de här	husen	de där	husen

Den här skolan

Skriv egna exempel med demonstrativa pronomen, substantiv och adjektiv!

väska – Den här väskan är tung.
hus – Det där huset är rött.
skola
bok
universitet
dator
bilar
fönster (plur.)
vägg
bakelse
stolar
nycklar
bord (plur.)
tavlor
paket (sing.)
vin
idéer
tåg
lärare (plur.)
övning

49. Vem tänker jag på?

- Nu tänker jag på en viss person. Gissa vem! Ni kan fråga alla möjliga saker, men jag får bara svara med "ja" eller "nej". Ni får 15 frågor. Förstår ni?
- Jaa, det gör vi!
- OK, då börjar vi.
- Tänker du på en man?
- Nej, det gör jag inte.
- Är det en kvinna?
- Ja, det är det. Två frågor. Men fråga inte så dumt!
- Hur gammal är hon?
- Så får du inte fråga!
- Javisst ja! Är hon ogift?
- Ja, det är hon.
- Går hon fortfarande i skolan?
- Nej, det gör hon inte.

- Har hon ett arbete?
- Nej, det har hon inte.
- Bor hon i Sverige?
- Ja, det gör hon.
- Är hon berömd?
- Ja, det är hon.
- Men hon arbetar inte?
- Nej, det gör hon inte.
- Är det en levande människa?
- Nej, det är det inte.
- Är hon en figur i en bok?
- Ja, det är hon.
- Är hon vacker?
- Nja, det är hon inte.
- Är hon stark då?
- Ja, det är hon.
- Då vet jag! Det är förstås ...!

Tänk på en person/figur och låt en kamrat gissa! Svara bara "ja" eller "nej" och använd "ekosvar"! 15–20 frågor.

§ KORTSVAR, "EKOSVAR"

I svaret *upprepar* man frågans verb, om det är **är** eller **har**:	Har du tid? — Ja, det har jag. Är du trött? — Ja, det är jag.
annars *ersätter* man det med **gör**:	Sover du? — Nej, det gör jag inte. Bor han i Malmö? — Ja, det gör han.

 Svara med kortsvar enligt modellen:

Ja,   { är   { jag
    { det { har { han
Nej,   { gör   { hon { inte
                 { vi
                 { de

1. Bor de i Stockholm? Ja, ...
2. Har hon barn? Nej, ...
3. Är de gifta? Ja, ...
4. Går hon i skolan? Nej, ...
5. Röker du ? ...
6. Har han lektion nu? Ja, ...
7. Arbetar du? ...
8. Läser hon också svenska? Nej, ...
9. Talar de svenska? Ja, ...
10. Tittar du på teve varje kväll? ...
11. Har du lunch klockan tolv? ...
12. Spelar du piano? ...
13. Dricker han inte kaffe? Nej, ...
14. Stiger du upp före klockan sju? ...
15. Tycker hon om klassisk musik? Ja, ...
16. Är de hemma ikväll? Nej, ...
17. Har ni lektion imorgon? ...
18. Går du ofta på teater? ...
19. Idrottar du ibland? ...
20. Har hon fem veckors semester? Ja, ...

50. Är du en intressant människa?

 Testa dig själv och dina kamrater!

Svara på varje fråga med "ja, det *(verb)* jag" eller "nej, det *(verb)* jag inte"!

1. Är du trött på morgonen?
   Ja / Nej, det ...
2. Läser du horoskop?
   Ja / Nej, ...
3. Tycker du om musik? ...
4. Dricker du kaffe? ...
5. Pratar du i sömnen? ...
6. Har du hemligheter? ...
7. Har du pengar på banken? ...
8. Är du rädd för ormar? ...
9. Dansar du? ...
10. Har du cykel? ...
11. Är du intresserad av litteratur? ...
12. Använder du pyjamas? ...
13. Har du grammofon? ...
14. Klär du i blått? ...
15. Sjunger du i badrummet? ...

Räkna ihop antalet ja-svar och titta efter längst ner på sidan, så får du se resultatet!

Ja, jo eller nej

1. Finns det vatten på månen?
2. Bor inte kungen i Stockholm?
3. Innehåller cigarretter gift?
4. Kommer inte Ingmar Bergman från Sverige?
5. Tar svenskarna aldrig semester?
6. Äter hästar kött?
7. Har inte svenskarna sju veckors semester?
8. Har inte hundar 32 tänder?
9. Är inte Astrid Lindgren konstnär?
10. Betyder Au "guld"?

---

§ **JA, JO, NEJ, DET GÖR DET (INTE)**

Ligger Stockholm i Sverige?   **Ja**, det gör det.
Ligger *inte* Stockholm i Sverige? **Jo**, det gör det.
Ligger Stockholm i Danmark?   **Nej**, det gör det inte.

Om man frågar med *inte,* svarar man jakande med **jo.**

13–15 ja-svar: Talar du sanning?
7–12 ja-svar: Du är en ochört intressant människa, en stor personlighet!
5–6 ja-svar: Du är en mycket intressant människa!
1–4 ja-svar: Du är lite färglös, kanske, men ointressant är du inte!

60

TYCKER DU OM MIG
Folklig anonym visa

Tycker du om mig?	Ja, det gör jag!
Är det riktigt säkert?	Ja, det är det!
Får jag hålla om dig?	Ja, det får du!

Hoppsudderudderudderullanlej.

Köper du ringen?	Ja, det gör jag.
Sätter den på fingret?	Ja, det gör jag.
Är det riktigt säkert?	Ja, det är det.

Hoppsudderudderudderullanlej.

Reser vi till prästen?	Ja, det gör vi.
Gifter oss förresten?	Ja, det gör vi.
Är det riktigt säkert?	Ja, det är det.

Hoppsudderudderudderullanlej.

Den här visan är mycket populär i språkundervisningen. Sätt egen text till den! Och sjung!

Exempel:

Har vi lektion nu?	Ja, det har vi!
Är det riktigt säkert?	Ja, det är det!
Är det inte roligt?	Jo, det är det!

Hoppsudderudderudderullanlej.

Hos doktorn

 Lyssna på bandet och svara på frågorna!

1. Vad är hans problem?
2. Röker han mycket?
3. Hur ser hans frukost och lunch ut?
4. Hurdant arbete har han?
5. Hur mycket kaffe dricker han?
6. Hur mycket sprit dricker han?
7. Motionerar han?
8. Vad säger doktorn till slut?

§ **FREKVENS / HUR OFTA?**
tre paket **om dagen**
en gång **om året**

en flaska vin **i veckan**
två gånger **i månaden**
en gång **i timmen**
åtta timmar **om dygne**t
fyra gånger **i minuten**
en gång **i sekunden**

Hur ofta gör du det?

(en gång/två gånger etc. i veckan/månaden/om året etc.)

1. Hur ofta går du på bio?
2. Hur ofta diskar du?
3. Hur ofta dricker du kaffe?
4. Hur ofta dammsuger du?
5. Hur ofta skriver du brev?
6. Hur ofta betalar du hyran?
7. Hur ofta går du på teatern?
8. Hur ofta äter du ute?
9. Hur ofta klipper du håret?
10. Hur ofta talar du i telefon?
11. Hur ofta går du och dansar?
12. Hur ofta blir du förkyld?
13. Hur ofta åker du taxi?
14. Hur ofta tittar du på klockan?
15. Hur ofta köper du blommor?
16. Hur ofta bakar du?
17. Hur ofta gråter du?
18. Hur ofta har du lektioner i svenska?
19. Hur ofta andas du?
20. Hur ofta blinkar du?

51. Mamma, vad är det?

– Mamma, vad är det?
– Det är en elefant!
– En elefant?
– Ja, just det. Den bor i Afrika.
– Vad är Afrika?
– Det är en världsdel långt borta.
– Och vad är det?
– Det är ett lejon.
– Bor det också i Afrika?
– Ja, det gör det.
– Och vad är det?
– Det är sebror.
– Var bor de, då?

– De bor också i Afrika, tror jag.
– Varför är de randiga?
– Det vet jag inte.
– Vad heter elefanten?
– Det vet jag inte. Han kanske heter Jumbo.
– Och lejonet, vad heter det?
– Det är en hona. Hon heter Elsa.
– Har sebror också namn?
– Det vet jag faktiskt inte. Men det har de säkert.
– Vad heter de då?
– Jag vet inte! Fråga dem!

```
┌─────────────────────────┐
│ PRESENTERINGS-          │
│ FRASER                  │
│ Vad är det?             │
│ Är det … ?              │
│ Det är en/ett/plural … │
└─────────────────────────┘
```

§ DEN / DET / HAN / HON / DE

Vad är det (här)? Det är en elefant!	Den bor i Afrika.	(syftar på elefanten)
Vad är det (där)? Det är ett lejon.	Är det farligt?	(syftar på lejonet)
Vad är det (här)? Det är sebror.	De är randiga.	(syftar på sebrorna)
Är det en hane? Ja, det är det.	Han är mycket stor.	(syftar på en hanelefant)
Är det ett lejon? Ja, det är det.	Hon heter Elsa.	(syftar på en lejonhona)

Svenska djur

– Vad är det här?
– … är en varg.
… lever huvud-
sakligen i norra
Sverige, men …
finns vargar i
södra Sverige
också.

– Vad är det här
för djur?
– Det är en järv.
… finns också
i norra Sverige,
men bara ca
100 stycken.

– Vad är det här för
någonting?
– … är en älg.
… är en mamma,
som har två små
kalvar. … är
mycket söta.

– Vad är det här
då?
– … är ett lodjur.
– … ser ut som en
stor katt.
– Ja, … är ett
kattdjur också.

BJÖRNEN SOVER
Traditionell barnvisa
Musik: C.M. Bellman (1740–1795)

Björnen sover, björnen sover
i sitt lugna bo.
Han är inte farlig
bara man är varlig.
Men man kan dock,
men man kan dock
honom aldrig tro!

Vad säger hunden?

hunden skäller *(och det gör kanske mamma eller
pappa eller chefen …)* **"vov"**
katten jamar **"miau"**
hästen gnäggar *(och det gör vissa som skrattar)*
lejonet ryter *(och det gör den som är arg)*
björnen brummar
grisen grymtar **"nöff"**
ormen väser
tuppen gal **"kuckeliku"**

52. Jag är förkyld!

Erika: Ikväll är det fest och jag är så förkyld!
Tomas: Stanna hemma och vila!
Robban: Nej, drick ett glas whisky!
Gun: Ät C-vitaminer! Apelsiner och grapefrukt!
Disa: Nej, ät vitlök i stället! Det hjälper!
Tomas: Rök inte så mycket!
Robban: Eller rök bara mentolcigarretter!
Erika: Jamen, jag röker ju inte alls!
Robban: Bada bastu!
Gun: Gå till sängs! Ligg
och läs en bra bok!
Disa: Nej, nej! Helt fel!
Var uppe som vanligt
men gå inte ut!
Tomas: Gå till doktorn!
Erika: Tack för alla råd!
Nu vet jag precis.

 Vad är imperativformen?

talar
läser
dricker
röker
ringer
ser
flyttar
ställer
diskar
lagar
skriver
ger
vaknar
gråter

§ IMPERATIV
Imperativ = stammen

tala! jfr presens talar = imperativ + r
läs! jfr presens läser = imperativ + er (efter konsonant)
gå! jfr presens går = imperativ + r

var! jfr presens är (oregelbundet)

Från presens till imperativ:
Ta bort   -r efter vokal (som inte är e) och
-er efter konsonant!

Exempel: stannar > stanna!   äter > ät!   står > stå!

Ge varandra råd!

Jag är så trött, men jag somnar
ändå inte.
Har du några råd?

Jag är så trött på morgonen. Jag
vaknar aldrig.
Har du några råd?

Jag är så ledsen, jag bara gråter.
Har du några råd?

Fråga läraren efter nya ord!

53. En biltur

Hon: Ja, då kör vi. Du, säkerhetsbältet! Spänn fast säkerhetsbältet, är du snäll!

Han: Javisst, ja! *(Efter en stund)* Du kör ganska fort. Vi har inte så bråttom. Du! Kör inte så fort!

Hon: Det är 70 här.

Han: Ja, men du kör i 90. Bromsa! Det är rött ljus där framme. Stanna!

Hon: Jaja, jag ser.

Han: Nu är det grönt! Åk nu! Och sväng till vänster där framme!

Hon: Vänster? Höger menar du väl?

Han: Nej, vänster!

Hon: Nej, det är fel!

Han: Var inte så envis! Jag hittar vägen! Gör som jag säger nu! Men kör sakta! Det är bara 30 här, tänk på det! Varför stannar du? Vi är inte framme. Fortsätt!

Hon: Nej tack! Det här räcker! Kör du i stället, så sitter jag bredvid och dirigerar!

 Fakta

I Sverige finns det följande hastighetsbegränsningar:
30 (vid t.ex. skolor)
50 (i tätorter)
70 eller 90 (på landsvägar)
och 90 eller 110 (på motorvägar).

Vad betyder vägmärkena, tror du?

 Vilka verb finns i imperativ i stycket? Skriv deras presensform!

 Lyssna på bandet.

Några verb slutar på **-r** i imperativ:
  kör
  gör
  hör etc.
De får inte + **er** i presens.
Deras presensform = imperativform!

Följ mina instruktioner

Skriv instruktioner
i imperativform!
Lämna till läraren!
Läraren läser och du agerar.
Byt instruktioner med en kamrat!
Läs och agera!

54. Pausgymnastik!

 Läraren eller någon av eleverna läser instruktionen.

Stå på tå! (Och ner.)
Räta på ryggen!
Böj på knäna! (Och upp igen.)
Klappa i händerna!
Lägg armarna på bröstet!
Knäpp händerna bakom nacken!
Lägg hakan i handen!
Stå rak med händerna längs sidan!
Dra in magen!
Stå på ett ben! (Och tillbaka!)
Skaka på huvudet!
Rynka pannan!
Vifta på öronen!
Hoppa jämfota!
Stå absolut stilla!
Sitt ner!

 Hitta gärna på egna rörelser och ha sedan pausgymnastik minst en gång under lektionen!

Imperativ

Ge råd till problemet!

1. Jag är trött!   kaffe/dricker
   Råd: Drick (en kopp) kaffe! osv.
2. Jag är hungrig!   ett äpple/äter
3. Jag har bråttom!   en taxi/tar
4. Jag förstår inte!   ett lexikon/köper
5. Jag hittar inte!   en karta/skaffar
6. Jag fryser!   värmen/sätter på
7. Jag svettas!   ett fönster/öppnar
8. Jag har ont i en tand! en tandläkare/går till
9. Jag är ledsen!   en sång/sjunger!
10. Jag har feber!   en magnecyl/tar

 Är det bra råd? Kanske du vet bättre? Skriv och berätta!

Tvättprogram

Här är ett program för hur man tvättar i en tvättmaskin. Tyvärr har instruktionerna hamnat i fel ordning. Kan du sätta dem i rätt ordning?

stäng luckan
häng upp tvätten på tork
ta en kaffepaus
lägg in tvätten i skåp och lådor
öppna tvättmaskinsluckan
gör något annat en timme eller så
sortera tvätten i vittvätt, kulörtvätt etc.
tryck på startknappen
stoppa in tvätten
slå på strömbrytaren
ställ in rätt program
häll i tvättmedel
centrifugera tvätten
ta ut tvätten
pusta ut
stryk, vik eller mangla

55. Var är mina strumpor?

Lina och Kajsa tågluffar i Sverige. Ibland övernattar de på vandrarhem, ibland tältar de. Just nu tältar de på en tältplats i Värmland. Det är morgon. Vi tittar in i deras tält! Där till vänster ligger Linas sovsäck och till höger Kajsas, och runt omkring ligger alla deras saker: kläder, skor, mat, böcker, plåster osv. Lina letar efter någonting. Hennes strumpor är borta.

Lina: Var är mina strumpor?

Kajsa: Jag vet inte. Det här är mina.

Lina: Vems strumpor är det där då?

Kajsa: Det är också mina. Du hittar aldrig dina saker!

Lina: Det där är mitt skärp!

Kajsa: Är det? Ja visst ja, där ligger mitt! Men det där är min handduk!

Lina: Nehej, det är min. Mitt namn står ju här!

Kajsa: Jaja, men min ryggsäck då? Var står den?

Lina: Den ligger ju utanför tältet!

Kajsa: Javisst ja!

Lina: Så! Har vi allting nu? Är det där din portmonnä?

Kajsa: Nej, det är ju din. Men var är min då?

Lina: Så här är det varje morgon! Vi hittar aldrig våra saker!

Kajsa: Jodå! Jag är klar! Då går vi då!

§ POSSESSIVA PRONOMEN

en	tavla	ett	hus	många	frågor
min	tavla	mitt	hus	mina	frågor
din	tavla	ditt	hus	dina	frågor
hans	tavla	hans	hus	hans	frågor
hennes	tavla	hennes	hus	hennes	frågor
vår	tavla	vårt	hus	våra	frågor
er	tavla	ert	hus	era	frågor
deras	tavla	deras	hus	deras	frågor

1 och 2 person singularis och pluralis	böjs som adjektiv = -t, -a.
3 person sing och plur	böjs inte.

–Vems tavla är det där?	– Det är *min*. (Man upprepar inte substantivet.)
–Vems hus är det där?	– Det är *mitt*.
–Vems strumpor är det där?	– Det är *mina*.

56. Några samtal på universitetet mellan några elever

1. – Vi har så litet labb. Har ni det också?
  – Nej. Vårt labb är jättestort, nästan för stort.

2. – Hur är era lärare?
  – Jodå. De är ganska bra ...

3. – Vad är det för papper? Är det ert schema?
  – Ja. Det är ganska bra, tycker jag. Vi är lediga på fredagar, till exempel, och vi börjar först klockan ett på måndagar.
  – Nej, vårt schema är hopplöst. Och det stämmer inte alltid. Vårt klassrum är ofta upptaget.

4. – Har ni alla era lektioner i A-huset?
  – Nej, vi är i B-huset för det mesta. Men våra lärare sitter i A-huset, och det är inte så bra.

5. – Är det Annikas mamma?
  – Inte så högt! Det är hennes syster.

6. – Vad tycker du om Åke?
  – Jag vet inte, men hans syster är ganska söt ...

7. – Där går Anita och Göran. De är gifta och har barn och de är bara 20 år.
  – Hur klarar de studierna, då?
  – Deras föräldrar hjälper dem med pengar och barnpassning.

Fakta

Många svenska ungdomar går direkt från gymnasiet till universitetet. Andra gör något annat först: flickor jobbar ofta något år utomlands som au pair-flickor, pojkar gör ofta lumpen först. En del arbetar några år, gifter sig, får barn och läser sedan på universitetet, heltid eller halvtid. På Stockholms universitet är nästan hälften halvtidsstuderande. De jobbar på dagen och studerar på kvällen. Medelåldern på universitetet är alltså ganska hög, jämfört med andra länder.

 Possessiva pronomen (och adjektiv)!
Se på exemplen och gör likadant!
Exempel: Jag/bostad/dyr   Min bostad är dyr.
Hon/namn/vacker   Hennes namn är vackert.

1. du/fru/arg
2. han/cykel/trasig
3. vi/klassrum/stor
4. de/vänner/trevlig
5. vi/lärare/snäll
6. ni/skola/ny
7. de/kritik/hård
8. ni/vardagsrum/ljus
9. du/skor/snygg
10. jag/arbete/intressant

11. du/syster/söt
12. hon/bror/elak
13. jag/lön/dålig
14. han/kunskaper/dålig
15. du/hus/fin
16. jag/hundar/arg
17. vi/klasskamrater/duktig
18. hon/leende/vacker
19. ni/övningar/svår
20. hon/föräldrar/ung

 Skriv egna exempel!

57. Vad gör du just nu?

Just nu sitter du (eller ligger eller står) och läser en text i din lärobok. Du sitter kanske hemma i din fåtölj eller så är du i ditt klassrum tillsammans med dina klasskamrater. Du läser kanske tyst, eller din lärare kanske läser före och du efter. Dina ögon ser texten och din hjärna tolkar innehållet och du tänker: "Vilken konstig text! Den handlar bara om possessiva pronomen!"

 Läs texten högt, men istället för **du, din, ditt, dina** läser du **jag, min, mitt, mina**.

 Skriv om texten med **ni** i stället för **du** och läs sedan texten och ersätt **ni** med **vi**!
Exempel: Vad gör ni just nu?

58. Min släkt

Jag har en bror som är polis.	*eller*	Min bror är polis.
Jag har en syster som är präst.	*eller*	Min syster är präst.
Jag har en kusin som är popmusiker.	*eller*	En av mina kusiner är popmusiker.
Jag har en kusin som är pilot.	*eller*	En av mina kusiner är pilot.
Jag har en farbror som är journalist, och en som jobbar på ett försäkringsbolag.	*eller*	En av mina farbröder är journalist och en jobbar på ett försäkringsbolag.
Jag har en faster som är lärare i svenska.	*eller*	Min fars syster är lärare i svenska.
Jag har en moster som är advokat.	*eller*	Min mammas syster är advokat.
Jag har en morbror som sitter i fängelse.	*eller*	Min mammas bror sitter i fängelse.
Jag har en son som går i skolan, och en dotter som går på dagis.	*eller*	Min son går i skolan, och min dotter går på dagis.

 Vad gör era släktingar? Fråga varandra!

Släktord är mycket oregelbundna:

en bror (broder)	två bröder	en son	två söner
en syster	två systrar	en dotter	två döttrar
en mor (moder)	två mödrar	en mormor	två mormödrar
en far (fader)	två fäder	en farmor	två farmödrar
en farbror	två farbröder	en morfar	två morfäder
en moster	två mostrar	en farfar	två farfäder

Ett litet släktdiagram

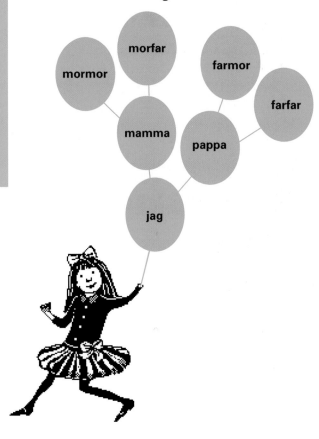

 I FOLKVISETON
Text: Nils Ferlin (1898–1961)
ur Från mitt ekorrhjul, 1957
Musik: Torgny Björck (1938–)

Kärleken kommer, kärleken går.
Ingen kan tyda dess lagar.
Men dig vill jag följa i vinter och vår
och alla min levnads dagar.
Mitt hjärta är ditt,
ditt hjärta är mitt
och aldrig jag lämnar det åter.
Min lycka är din,
din lycka är min
och gråten är min, när du gråter.

Kärleken är så förunderligt stark,
kuvas av intet i världen.
Rosor slår ut i den hårdaste mark
som sol över mörka gärden.
Mitt hjärta är ditt,
ditt hjärta är mitt
och aldrig jag lämnar det åter.
Min lycka är din,
din lycka är min
och gråten är min, när du gråter.

59. Maries liv och hennes mammas

1990

Marie Söderberg är 30 år och ogift. Hon är sekreterare och arbetar på en resebyrå i Norrköping. Hon arbetar fem dagar i veckan. Hon bor ensam i ett radhus utanför stan och kör bil till och från arbetet. Hon tjänar 13 000 kronor i månaden och betalar 5 000 kr i skatt. Huset kostar 2 500 kr i månaden och bilen 500. Hon använder inte så mycket pengar till mat, kanske 1 500 kr, för hon lagar allting själv och bakar dessutom. Kläder köper hon också ganska sällan; hon syr själv i stället, men ändå behöver hon 400–500 kr i månaden till tyg, skor osv. Varje månad sparar hon 1 000 kr, och sedan åker hon utomlands på semestern. Visst har hon det bra?

Skriv en text om en svensk i trettioårsåldern. Ta reda på vilka siffror och fakta som kan vara aktuella idag. Intervjua gärna någon lämplig person.

1960

År 1960 var Maj-Britt Söderberg också 30 år. Hon var änka och levde ensam med en dotter – det var Marie. Hon hyrde en tvåa i Algutsboda i Småland. Den kostade 290 kr i månaden. Varje dag cyklade hon 7 km till arbetet. Hon arbetade på ett glasbruk. Hon paketerade glas och skålar fem dagar i veckan och tjänade 1 700 kr i månaden. Dessutom hade hon en pension och barnbidrag; tillsammans 600 kronor i månaden. Hon betalade 500 kr i skatt och använde omkring 500 kr i månaden till mat. Hon sydde också en del själv, men ändå kostade kläder och skor cirka 400 kronor i månaden. Varje månad sparade hon 200 kr till en teve. På sommarlovet åkte de på semester. Pengarna räckte till en resa till Stockholm eller Göteborg eller morfar i Halmstad. Trots allt levde de ganska bra, tyckte hon.

§ PRETERITUM

förfluten tid / dåtid / imperfekt -de

		presens		preteritum	
Stam på -a		kosta	**-r**	kosta	**-de**	
Stam på konsonant	Tonande	lev	**-er**	lev	**-de**	
Stam på konsonant	Tonlös: k p s t	köp	**-er**	köp	**-te**	(man kan inte säga d)
Stam på vokal	men inte -a	bo	**-r**	bo	**-dde**	(man måste förlänga d)
Några verb är oregelbundna		ä	**-r**	**var**		(de saknar ofta ändelse)

NÅGRA TIDSUTTRYCK

igår
i förrgår
förra veckan
förra månaden
förra året
för en timme sedan
för en minut sedan
för tre dagar sedan
för en vecka sedan
för en månad sedan
för ett år sedan
imorse
i måndags [i måndas]
i tisdags
i onsdags
i vintras
i våras
i somras
i höstas

 Skriv och berätta om ditt liv nu och din mammas/pappas liv för 20-30 år sedan! Eller jämför ditt liv nu med ditt eget liv för 10, 20 eller 30 år sedan!

Hitta någon som:

badade igår	ringde någon igår
tittade på teve igår	åkte buss i morse
läste läxorna igår	spelade schack förra veckan
cyklade förra veckan	bakade bröd förra veckan
reste utomlands förra året	mådde dåligt förra veckan
skickade ett brev igår	tvättade kläder igår
handlade mat igår	lyssnade på radio i morse

Gör så här:
Fråga en kamrat: "Badade du imorse?"
Svarar han/hon "Nej!", fortsätt med nästa fråga!
Svarar personen "Ja!", skriver du personens namn efter verbfrasen.
Sedan byter ni om. Du svarar alltså "Ja" eller "Nej" på frågorna.
Fortsätt med andra kamrater tills du har ett namn efter varje verb!

60. Ingvar Kamprad – IKEA:s grundare

Ingvar Kamprad Elmtaryd Agunnaryd

Ingvar Kamprad – vem är det? Jo, en gång var han en fattig, ung man i Småland. Idag är han rik och känd i många länder. Hans livsverk är ett stort möbelvaruhus, IKEA.

Ingvar Kamprad föddes alltså i Agunnaryd, en liten by i Småland, 1926. Skoltiden var svår för han var dyslektiker. Han slutade skolan 1941 och började på ett handels-gymnasium i Göteborg.

Efter examen arbetade han ett par år på ett företag som tillverkade monterings-färdiga hus. Men samtidigt hade han en egen firma hemma i bostaden. Där sålde han billiga möbler per postorder. Han tjänade ganska mycket och sparade pengarna och efter fem år slutade han arbetet på husföretaget, köpte en gammal snickerifabrik i Älmhult och grundade företaget IKEA. Han hade en ny affärsidé.

Efter några år öppnade han ett stort varuhus utanför Stockholm. Han tryckte massor av kataloger, och han delade ut dem gratis till hushållen. Katalogerna visade möblerna i ett riktigt hem. Han lärde hela folket heminredning.

Nu har väl de flesta svenskar någon möbel från IKEA hemma. Men möblerna finns inte bara i Sverige. I slutet av år 2000 har IKEA 160 varuhus i 29 länder. Man räknar med att öppna tio nya butiker om året.

Svara på frågorna, men titta inte på texten! Skriv ner alla preteritumformer i texten! Vad heter de i presens?

1. I vilket landskap föddes Ingvar Kamprad?
2. Vilket år slutade han skolan?
3. Varför var skoltiden så svår?
4. Var arbetade han efter examen?
5. Vad hade han samtidigt i bostaden?
6. Vad sålde han där?
7. Gick affärerna bra?
8. Vad tryckte han?
9. Vad gjorde han med dem?
10. Har du någon möbel från IKEA hemma?

Mera om passiv form i stycket 136.

73

61. Var var du igår?

Knut: Hej, Gösta! Var var du igår?

Gösta: Igår?

Knut: Ja, igår. Vi hade lektion i spanska …

Gösta: Jo, jag kände mig lite dålig. Jag hostade och hade ont i huvudet.

Knut: Så du stannade hemma?

Gösta: Ja, just det.

Knut: Jaha, du. Men jag pratade med Mia imorse. Hon såg dig utanför Grand igår kväll.

Gösta: Ja …eh … Greta ringde mig och ville gå på bio och hon frågade mig …

Knut: Men du hade ju ont i huvudet?

Gösta: Jo, jo, men jag kände mig lite bättre.

Knut: Så du skolkade inte …?

Gösta: Nej, jag tänkte faktiskt stanna hemma, men så ringde hon och …

Knut: Du kunde inte tacka nej?

Gösta: Nej, hon är ju chefens dotter.

Knut: Ja, hon är det, ja. Och dessutom är hon ju ganska snygg, eller hur?

Gösta: Jo, det håller jag med om. Men… … hur var det igår? Gjorde ni något intressant?

Knut: Ja, vi läste lite och diskuterade och skrev några övningar.

Gösta: Vilken text läste ni?

Knut: Jag kommer faktiskt inte ihåg … … text tretton, tror jag. Ring någon dag före nästa lektion, så kan jag titta efter!

Gösta: Okej. Vi säger så. Jag ringer på onsdag.

Knut: Hej, hej. Och hälsa Greta!

I NATT JAG DRÖMDE…
Text: Cornelis Vreeswijk (1937–1987)
ur Visor och oförskämdheter, 1965
Musik: Ed McCurdy

I natt jag drömde något som
jag aldrig drömt förut
jag drömde det var fred på jord
och alla krig var slut.
Jag drömde om en jättesal, där statsmän satt på rad
så skrev de på ett konvolut
och reste sig och sa:
Det finns inga soldater mer, det finns inga gevär
och ingen känner längre till det ordet "militär".
På gatorna gick folk omkring
och drog från krog till krog
och alla drack varandra till
och dansade och log.

62. I kanot

Skolan slutade i juni. Då var jag 18 år. Halva juni och hela juli arbetade jag på Posten. Jag sorterade brev och vykort, hämtade paket, städade och spelade kort på rasterna. Men jag tjänade ganska mycket, 4 500 i juni och 8 000 i juli.

Jag använde pengarna till en semesterresa i augusti. Jag och min kompis Lissi åkte i hennes bil upp till Karlskoga i Värmland. Där hyrde vi en kanot. Tält, sovsäckar, campingkök och våra flöjter hade vi med oss. Vi köpte mat och drycker i samhället, och sedan packade vi allting i kanoten och startade resan.

Vi följde en älv, som heter Svartälven, och paddlade över stora sjöar och genom vackra åar. Ibland stannade vi och lyssnade på fåglarna, och ibland vilade vi på stranden. Vi lagade mat själva, kokade blåbärssoppa eller grillade korv, och efter maten spelade vi flöjt: *Where have all the flowers gone, I natt jag drömde, Vem kan segla förutan vind* och så.

På kvällen reste vi tältet på en liten ö i en sjö. Vi var mycket trötta och somnade nästan meddetsamma. Nästa morgon hade vi mycket ont i ryggen och axlarna, men vi åkte vidare ändå. Ibland badade vi och simmade efter kanoten, och ibland fiskade vi. Det var härligt.

Efter fyra dagar var vi framme i ett litet samhälle, som heter Blankafors. Där väntade kanotuthyraren med en bil. Vi följde med honom tillbaka till Karlskoga och hämtade vår egen bil och sedan åkte vi hem igen.

En utmärkt mini-semester!

 Svara på frågorna.

1. Är Lissi en pojke eller en flicka?
2. Hur gammal är berättelsens "jag"?
3. Hur skaffade hon pengar till semestern?
4. Hur mycket tjänade hon sammanlagt?
5. Var startade resan?
6. Tält, sovsäckar, kanot, campingkök – vad hyrde de och vad hade de själva?
7. De paddlade och paddlade. Vad gjorde de mer?
8. Var lämnade de bilen?

 Vad hörde personen på bandet? Lyssna och skriv!

Här är några verb ur texten, i preteritum. Skriv dem i presens och imperativ!

slutade	åkte	vilade
var★	hyrde	lagade
arbetade	hade★	kokade
sorterade	köpte	grillade
hämtade	packade	somnade
städade	startade	reste
spelade	följde	badade
tjänade	paddlade	simmade
sparade	stannade	fiskade
använde	lyssnade	väntade

★oregelbundet

En helt vanlig dag

 Lyssna på texten och skriv ner orden som saknas! Eller gissa först och lyssna sedan!

– Vad gör du en helt vanlig dag, Gustav?

– En helt vanlig dag? Ja, jag vet inte riktigt.

– Vad … du igår till exempel?

– Igår? Ja, igår … jag upp klockan sju, som vanligt. Jag …, … lite frukost och … tidningen och … på radio. Och jag … med min fru om dagens program och sedan … jag mina barn till skolan. Jag … arbeta klockan åtta, som vanligt. Jag … lunch klockan 12, som vanligt och jag … klockan halv fem, som vanligt. Sedan … jag hem, … öl, mjölk och en back läskedryck på vägen och … in tipset. Det … ju torsdag. Min fru … mat, vi … och sedan … ungarna av och jag … . Vi … på teve och min fru … skrivningar. Hon är lärare, nämligen. Och så … jag barnen med deras läxor. Jag … lite i en deckare också och jag … väl klockan halv tolv ungefär. Ja, så … min dag igår. En helt vanlig dag.

Stockholm–Mora med bil

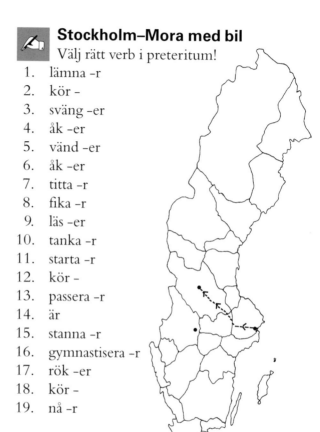 Välj rätt verb i preteritum!

1. lämna -r
2. kör -
3. sväng -er
4. åk -er
5. vänd -er
6. åk -er
7. titta -r
8. fika -r
9. läs -er
10. tanka -r
11. starta -r
12. kör -
13. passera -r
14. är
15. stanna -r
16. gymnastisera -r
17. rök -er
18. kör -
19. nå -r

Klockan 7 på morgonen … jag Stockholm. Först … jag mot Enköping, och sedan … jag in på väg 70 mot Sala. Jag … igenom Sala också, men sedan … jag och … tillbaka ett par kilometer, till Sala silvergruva. Jag … på gruvan och … på en cafeteria och … tidningen i lugn och ro. Sedan … jag och … igen. Jag … raka vägen och … Avesta, Borlänge och Leksand, men då … jag trött, så jag … och … lite och … en cigarrett, och sedan … jag vidare. Klockan två … jag Mora, efter en resa på 35 mil.

63. Rune ser tillbaka

På 20-talet

Jag föddes i Nyköping 1914. Far var grovarbetare, men han var ofta arbetslös.

Mamma var sömmerska och städade också ibland. 1921 började jag första klass. Jag var ganska duktig och läste mycket. Efter sex år i folkskolan (nu säger man grundskolan) började jag i realskolan (idag heter det högstadiet). Många av lärarna tyckte inte om arbetarbarn, och jag var blyg och rädd och slutade efter tre år. Då var jag 16.

På 30-talet

I stället sökte jag arbete på en mekanisk verkstad som tillverkade motorer. Det

var ett tungt och smutsigt arbete och jag tjänade bara 50 öre i timmen. Jag blev medlem i facket där, och jag var också med i nykterhetsrörelsen. På fritiden spelade jag schack och fotboll. Jag bodde i ett litet rum hos en änka och betalade 18 kr i veckan. Hon hjälpte mig med matlagning och tvättade mina kläder. 1935 träffade jag min fru Greta. Hon arbetade som hembiträde hos en familj i staden. Vi gifte oss och hittade en lägenhet utanför staden, och där bodde vi i fem år.

På 40-talet

Under andra värdskriget var jag inkallad en lång tid. Sverige var ju inte med i kriget, men det var en orolig tid. Mest längtade jag hem. Efter kriget köpte vi ett hus. Vi hade bara några tusen kronor. Resten lånade vi. Samma år födde Greta en liten pojke, Sven-Erik.

På 50-talet

1953 åkte vi för första gången till utlandet på semester. Det var en bussresa till Italien. Det var fantastiskt! 1954 köpte vi en Saab

för 7 500 kr. Det var mycket pengar då! Vår pojke började skolan och han var också duktig i skolan, precis som pappa!

På 60-talet

Jag blev mer och mer intresserad av politik, och 1964

blev jag ordförande i verkstadsklubben
på jobbet.

På 70-talet

Jag blev farfar
och fyllde 65 år
och slutade på
fabriken.

På 80-talet

Nu är jag snart
80 år och tar det
ganska lugnt. Jag
promenerar eller
sysslar med mina
frimärken. Greta
lever också
fortfarande.
Hon är med i flera föreningar och är
ofta borta på kvällarna.

 Hur lever gamla människor i andra
länder? Hur tror du att det är att vara
gammal i Sverige idag, på 2000-talet?

 Intervjua dina föräldrar
eller dig själv!
Hur levde de/du för fyrtio år sedan?
För trettio år sedan?
För tjugo år sedan?
Vad gjorde de/du?
Hur mycket kostade saker och ting?
Hur mycket tjänade de/du?
Hur bodde de?
Vad gjorde de på fritiden?
Vad drömde de om?

Skriv och berätta för klassen!

64. Alla har någon

Det är en härlig vårdag. På ett av kondito-
rierna i stan står det redan stolar och bord
på trottoaren, och alla bord är upptagna av
ungdomar, äldre damer och familjer med
barn. Längst till vänster sitter Mattias med
hakan i handen. Han är alldeles ensam och
betraktar alla som sitter tillsammans. Vad
tänker han på?

"Alla som kommer hit har redan en
flickvän. Utom jag. En del har massor av
flickor som ringer till dem, men jag känner
ingen som vill gå ut med mej. Hur gör man?
Kan man bara gå fram till någon, som sitter
ensam, och börja prata med henne? Med
den där tjejen till exempel, som sitter där?"

Javisst, vid ett bord en bit ifrån sitter det
ju faktiskt en ensam flicka. Ska vi titta på
hennes tankar också; vi som kan läsa tankar?

"Vad trött jag är på killar! Finns det
verkligen inga trevliga killar? De som jag
känner är så tråkiga och ointressanta! Hur
hittar man någon som passar en? Någon
som har ungefär samma intressen som
man själv?"

Mattias reser sig och borstar av byxorna.
Sedan går han fram ...

 Ja, vad händer?
Skriv en spännande fortsättning!

 Man eller en?

Om polisen stoppar ..., när ... kör bil,
måste ... visa körkortet. När ... är sjuk, bör
... stanna hemma. Ingen tackar ... om ... går
till jobbet, när ... är sjuk.
– Får ... röka här?
– Nej, ... måste gå ut och röka.
I Sverige går ... i pension, när ... fyller 65 år.

> *Den som gräver en grop åt andra, faller själv däri.*
> *Som man bäddar, får man ligga!*
> *Man kan aldrig lära gamla hundar att sitta.*
> *Äta bör man, annars dör man.* Ordspråk

§ **RELATIVSATSER**

subjekt	objekt
De som var på festen var trevliga.	Jag känner dem som var på festen.
Alla som var på festen var trevliga.	Du känner alla som var där.
Någon som du känner var där.	Fråga någon som var där.
Ingen som du känner var där.	Jag känner ingen som tänker gå på festen.

65. Vad kan, vill inte, måste du göra?

Roger och Nils-Owe, författare till den här boken, sitter och pratar:

Roger: Jag kan spela gitarr och piano, jag kan tala engelska, jag kan simma, jag kan vissla, jag kan spela schack, jag kan skriva maskin och jag kan sjunga. Men jag kan inte sy, jag kan inte köra bil, jag kan inte sticka, jag kan inte tala franska eller spanska och jag kan inte laga mat.

Nils-Owe: Jag kan tala japanska och koreanska, jag kan också spela schack och skriva maskin, jag kan köra bil och laga mat och jag kan stå på händerna (ibland). Men jag kan inte spela något instrument, jag kan inte sticka, jag kan inte sjunga och jag kan absolut inte snickra.

Roger: Jag vill inte bädda sängen på morgonen, jag vill inte gå till sängs på kvällen, jag vill inte skriva brev (men jag vill få brev), jag vill inte stiga upp på morgonen, jag vill inte städa och jag vill inte betala räkningar.

Nils-Owe: Jag vill inte bli tjock och jag vill inte bli gammal heller, jag vill inte ligga länge på morgonen, jag vill inte gå på disko, jag vill inte dammsuga och jag vill absolut inte snickra.

Nils-Owe: Jag måste skriva färdigt den här boken! Jag måste åka till jobbet varje morgon, jag måste laga mat, jag måste tvätta, stryka och städa, jag måste betala skatt och jag måste måla om huset.

Roger: Jag måste också skriva färdigt den här boken, jag måste jobba, jag måste åka buss till jobbet (jag har inte bil), jag måste ge katten mat och jag måste ringa till min mamma.

§ HJÄLPVERB + INFINITIV

	hjälpv	(adv)	infinitiv	
Jag	kan	(inte)	spela	piano.
Hon	vill	(inte)	betala	skatt.
De	måste		tvätta	kläder.

Vad kan du göra?
Vad vill du inte göra?
Vad måste du göra?
Fråga varandra och redovisa svaren!

Vad man kan göra med vad?

Vilka verb passar med vilka substantiv?

äter	sopor
dricker	brev
kokar	tidning
lagar	kaffe
handlar	musik
lyssnar på	mat
spelar	bio
skriver	ägg
läser	vin
köper	korv
går på	bil
steker	tennis
kör	radio
tittar på	grammofon
kastar	teve

 Redovisa så här:

Man kan läsa ett brev.
Man kan skriva ett brev.
Man kan kasta sopor.
Man kan äta mat.
Man kan äta ägg.
Man kan äta korv.

Tänk på infinitivformen!

 **VEM KAN SEGLA**
Folklig anonym visa

Vem kan segla förutan vind?
Vem kan ro utan åror?
Vem kan skiljas från vännen sin
utan att fälla tårar?

Jag kan segla förutan vind.
Jag kan ro utan åror.
Men ej skiljas från vännen min
utan att fälla tårar.

Den här sången kommer från Åland, enligt
ålänningarna, från Sverige, enligt svenskarna
och från Finland, enligt finnarna/finländarna!
Den har en melankolisk, vemodig ton, så
typisk för Norden.

66. En sträng far

Min dotter är 13 år. Hon får inte röka och inte dricka sprit (nja, ett glas champagne på nyårsafton kanske), och hon får inte vara ute och springa sent på kvällen. En del videofilmer får hon inte titta på, och hon får inte sitta framför teven hela kvällen. Grammofon får hon förstås spela, men hon måste tänka på grannarna också.

Hon måste vara snäll och hänsynsfull och hon får inte svära. Dessutom måste hon göra läxorna direkt efter skolan, hon måste byta sand åt katten och ge den mat, hon måste bädda sängen och hänga upp kläderna och hon måste duka och duka av bordet till middag.

Men hon behöver inte laga mat eller diska, hon behöver inte tvätta eller dammsuga, och gå och handla behöver hon inte heller. På helgerna får hon sova länge, och hon kan ofta gå på bio, för hon har ganska hög veckopeng, och den får hon bestämma över själv.

Ibland vill hon inte städa eller göra läxorna. Då skriker hon: "Tjata inte! Ni fattar ingenting!" Då blir jag också arg och skriker: "Skrik inte! Du får inte skrika åt mej!"

 Gör jag fel? Är jag för sträng? Vad tycker ni? Diskutera i klassen!

Du har en dotter på 13 år. Hon *vill* göra en massa saker, men det *får* hon inte. Hon vill *inte* göra vissa saker. Men det *måste* hon. Men några saker *behöver* hon inte göra. Vad svarar du henne?

Din dotter: Jag vill titta på Dallas ikväll.
Du: Nej, du ...
Din dotter: Jag vill gå ut ikväll.
Du: Nej, du ...
Din dotter: Jag vill inte diska.
Du: Du ...
Din dotter: Jag vill inte lägga mig före klockan elva.
Du: Du ...
Din dotter: Jag vill inte göra mina läxor ikväll.
Du: ...
Din dotter: Jag vill börja rida.
Du: Nej, ...
Din dotter: Jag vill sova över hos Bettan.
Du: Nej, ...
Din dotter: Måste jag duka av idag?
Du: Nej, du ...
Din dotter: Måste jag gå med till faster Emma?
Du: Nej, ...

FRIMÄRKEN
Jag samlade frimärken
Pappa gav mig ett halvt kilo
Jag samlade inte frimärken mer
Ur *Jag heter Siv*, 1971
Siv Widerberg (1931–)

NÅGRA HJÄLPVERB

brukar	kan
bör	måste
får	vill

§ MODALA HJÄLPVERB

FUNDAMENT	VERB 1 hjälpverb	SUBJEKT	ADVERB	HUVUDVERB infinitiv
Du	behöver	–	inte	betala.
Jag	måste	–	nog	gå.
Hon	får	–	gärna	sjunga.
Vi	vill	–	naturligtvis	komma.
Varför	kan	du	inte	ringa?
När	måste	vi	–	resa?
Imorgon	får	du	–	sova.
–	Måste	jag	verkligen	åka?
–	Får	han	inte	komma?

NYA ORD
snäll
rättvis
glad
flitig
noggrann
bestämd
duktig
varm
uppriktig
ekonomisk
snabb
intelligent
förstående
stolt
renlig
intresserad
punktlig
lugn
morgonpigg
beslutsam
nyfiken
sparsam

 Skriv om meningarna!

1. Jag spelar piano.   kan
   Exempel: Jag kan spela piano.
2. Vi studerar svenska.   måste
3. Hon röker.   får inte
4. Hon vaknar tidigt.   behöver inte
5. Jag väntar på Cecilia.   måste
6. Talar du franska?   kan
7. Jag lånar telefonen.   vill
8. Går du ut ikväll?   får
9. Jag somnar.   kan inte
10. Stiger du upp tidigt?   behöver inte
11. Röker du och din bror?   får
12. Jag är ensam.   vill

Pojkar vill alltid...

 Skriv meningarna med ett passande verb (i infinitiv)!
Diskutera era lösningar!

    Pojkar vill alltid …
    Flickor brukar ofta …
    Kontorister brukar alltid …

    Elever bör alltid …
    Vänner kan ofta …
    Småbarn brukar ofta …
    Mannekänger får inte …
    Pappor vill ofta inte …
    Hemmafruar måste ibland …
    Författare måste alltid …
    Lärare brukar ofta …
    Journalister brukar ibland …

Hur bör en lärare vara?

 Skriv 3 lämpliga adjektiv för varje yrke ur listan ovan!

    En lärare bör vara …
    En läkare bör vara …
    En journalist bör vara …
    En präst bör vara …
    En chef bör vara …
    En förälder bör vara ..
    En student bör vara …

 Fråga läraren om nya ord, eller slå upp i ordboken!

67. Göra lumpen

År 1995 fick Sverige en ny lag om total-
försvarsplikt. Tidigare var alla män över 18 år
skyldiga att göra värnplikt, men den nya
lagen innebär att alla människor mellan 16
och 70 år måste ställa upp och försvara landet.
Nu kan man göra värnplikt eller civilplikt
eller också kan man ingå i den reserv som
rycker in om en krigssituation uppstår.

Alla män mellan 18 och 24 år måste
mönstra. Cirka 40 procent av dem tas ut till
en tjänstgöring på mellan tre och arton
månader. Kvinnor får också ansöka om
militär eller civil utbildning. År 2000 skrevs
200 kvinnliga sökande in.

Värnplikten gör man inom det militära
försvaret, inom armén, marinen eller flyg-
vapnet. Men att försvara Sverige innebär mer
än soldater och stridsvagnar. Under civil-
plikten får man lära sig hur viktiga uppgifter
i samhället sköts i en krigssituation. Det kan
vara yrken som flygplatsbrandman, linje-
reparatör eller räddningsman.

Alla värnpliktiga får en lön som för när-
varande är 50 kronor per dag och ett tillägg

beroende på hur lång tjänstgöring man har.
Efter grundutbildningen får varje man/
kvinna ett utryckningsbidrag på 4 500
kronor. Under tjänstgöringen är kläder,
mat och husrum gratis och man har rätt
till en gratis hemresa per vecka.

(Källa: Pliktverket 2000)

Det cirkulerar många skryt- och skräck-
historier om hur det är och var att göra
lumpen. Här är några citat från ungdomar
av idag. Om du vill läsa mera kan du titta på
www.lumpen.pliktverket.se

"Jag hade en längre tid varit ganska ointres-
serad av lumpen, men när allt fler kompisar
mönstrade började även mitt intresse vakna.
Ju närmare mönstringsdagen jag kom, desto
mer nervös och pressad blev jag. Vad ville jag
bli inom det militära? Ville jag överhuvud-
taget göra lumpen?"
*Om mönstringen, Tomas Liljevald,
radarplutonsbefäl, Onsala*

"Vi valde att göra lumpen för att få lite
utmaning i livet och skaffa erfarenheter som
vi kommer att ha nytta av hela livet. Båda är
vi intresserade av att bli poliser och ser
lumpen som en bra erfarenhet. / ... / Till-
sammans med 40 killar skulle vi nu dela på
logement, toaletter och duschar, vilket inte
alltid är det lättaste. Men vi vande oss fort
och är man bara sig själv så blir man snabbt
en i gänget."
*Jenny Olofsson och Jenny Dahlberg,
helikopterdivisionen vid Säve i Göteborg*

68. Vid delikatessdisken

En expedit: 22!

En kund: Ja, det är jag. Jag ska be att få tre hekto köttfärs.

Expediten: Jaha … varsågod.

Kunden: Tack. Jag skulle vilja ha lite ost också. Har ni finsk Edamer?

Expediten: Ja. Hur mycket ska vi ta?

Kunden: Kan jag få … halva den där biten?

Expediten: Jaa … Var det bra så?

Kunden: Nej, jag ska ha lite räkor till ikväll.
Kan jag köpa det här?

Expediten: Ja, jag kan hämta från fiskdisken.
Hur mycket ska ni ha?

Kunden: Kan jag få … två hekto, tack.

(Efter ett litet tag.)

Expediten: Varsågod. Något annat?

Kunden: Nej, det var bra så.
Jo, förresten. Skulle jag kunna få ett hekto lördagskorv också?

Expediten: Den är tyvärr slut, men vi får in den imorgon igen.

Kunden: Jaså. Ja … tack, då.

Expediten: Tack. … 23!

FRASER
Jag ska be att få …
Jag skulle vilja ha …
Kan jag få …?
Jag ska ha …
Skulle jag kunna få …?
Det var bra så.
Var det bra så?
Något annat?
Varsågod.

Läraren eller en elev är expedit. Övriga är kunder. Alla får en lapp med saker som de ska köpa. Läraren skriver upp fraserna på tavlan. Klipp ur bilder på olika matvaror och ge till varandra eller låtsas bara!

69. Svenska partier

Alla svenskar som är över 18 år får rösta.
I valet till riksdagen får bara svenska med-
borgare rösta, men i kommunalvalen kan
utlänningar också vara med. Vi har riksdags-
val och kommunalval samtidigt, och de äger
rum tredje söndagen i september vart fjärde
år, alltså 1994, 1998, 2002 och så vidare. Före
1994 hade vi val vart tredje år. Ungefär
85 procent av alla svenskar brukar rösta.

Riksdagen har en kammare med 349
platser. Alla partier, som får över 4 procent av
rösterna, får plats i riksdagen. Av riksdagens
349 riksdagsmän var 153 kvinnor (1999/00).

Idag – december 2000 – finns det sju
partier i riksdagen. De är:

Socialdemokraterna (*Sveriges
socialdemokratiska arbetareparti*) *(s)*
vill verka för social och ekono-
misk jämlikhet. Det fick 36,4
procent av rösterna i valet 1998 och är
regeringsparti.

Moderata samlingspartiet
(m). Det är ett konservativt
parti. Anhängare av marknadsekonomi.
Värnar om traditioner och privat äganderätt.
Det fick 22,9 procent av rösterna.

Vänsterpartiet *(v)* är ett socia-
listiskt parti, som vill avskaffa
kapitalismen och klassamhället.
Värnar om samhällets utsatta
grupper. Det fick 12,0 procent av rösterna.

Kristdemokraterna *(kd)*
har sedan valet 1991 varit ett
riksdagsparti. Etik och moral
är viktiga frågor för partiet. Det fick 11,8
procent av rösterna.

Centerpartiet *(c)* är ett mitten-
parti. Hette tidigare Bonde-
förbundet och är fortfarande ett
landsbygdsparti med betoning på
miljöfrågor. Det fick 5,1 procent av rösterna.

Folkpartiet liberalerna *(fp)*
vill ha ett fritt näringsliv, men
också sociala reformer. Jäm-
ställdhetsfrågorna är viktiga. Det fick
4,7 procent av rösterna.

Miljöpartiet De Gröna *(mp)*
har en decentralistisk ideologi, där
samspelet mellan människa och
natur är viktigt. 1988 röstades
partiet in i riksdagen, 1991 åkte
det ur för att sedan komma tillbaka 1994.
1998 fick partiet 4,5 procent av rösterna.

Ta reda på

1. Vad heter de sju riksdagspartiernas ledare?
2. Vilka övriga partier finns det?
3. Har det alltid varit 349 riksdagsledamöter?

Vill du veta mera? *www.riksdagen.se*

Olof Palme (1927–1986)

Svenska statsministrar

(efter andra världskriget)

Per Albin Hansson (s)	1936–1946
Tage Erlander (s)	1946–1969
Olof Palme (s)	1969–1976
Thorbjörn Fälldin (c)	1976–1978
Ola Ullsten (fp)	1978–1979
Thorbjörn Fälldin (c)	1979–1982
Olof Palme (s)	1982–1986
Ingvar Carlsson (s)	1986–1991
Carl Bildt (m)	1991–1994
Ingvar Carlsson (s)	1994–1996
Göran Persson (s)	1996–

Fakta

1921
fick vi allmän rösträtt i Sverige, dvs. (det vill säga) alla, både kvinnor och män, fick rösta.

Förutom riksdagsval kan man ha folk-omröstningar i Sverige:

1922
röstade man om spritförbud.

1955
röstade man om högertrafik. 53 procent röstade, av dem ville 83 procent behålla vänstertrafiken! Men 1967 bytte vi till högertrafik ändå.

1957
var det folkomröstning om tilläggspension. 72 procent röstade. Vi fick obligatorisk allmän tilläggspension = ATP.

1980
röstade vi om kärnkraften. Den frågan är fortfarande mycket aktuell. Hur länge ska vi behålla kärnkraften? Det vet ingen idag.

1994
röstade vi om medlemskap i den Europeiska Unionen. Ja-sidan vann med 52,3 procent mot nej-sidans 46,8 procent. Knappt en procent röstade blankt.

Fråga inte en svensk: "Vad röstar du på?" Han/hon vill nog inte svara. Det är en hemlighet.

Riksdagen öppnas normalt första tis-dagen i oktober. Senast 15 juni stänger man riksdagen och riksdagsledamöterna tar ett långt sommarlov ...

Jag måste skriva till Filip.   Jag tycker inte *om* **att** skriva.
Jag vill inte gå på festen.   Hon glömmer ofta *bort* **att** ringa hem.
De får inte komma hit.   Jag lovar **att** komma.
Hon kan tala fem språk.   Hon älskar **att** tala franska.

Efter hjälpverb har man inte **att** före infinitiv.
Efter några verb (speciellt verb med *partikel*) har man **att** före infinitv.
Man måste lära sig regeln för varje verb.

Livet är komplicerat

Georg sitter och funderar över livet. Det är mycket man måste komma ihåg. Man måste till exempel komma ihåg
– att beställa tid hos tandläkaren
– att betala alla räkningar i tid
– att klippa sig
– att anmäla sig till kursen på universitetet
– att svara på alla brev

Tänk på vilken form substantivet måste ha!
Ska det vara någon preposition?
Bestämd eller obestämd form?
Eller ingen artikel?

 Fortsätt listan!

ställer / väckarklocka / ringning / kväll
beställer / tid / tvättstuga
vattnar / blommor
ger / katt / mat
köper / mat
skriver / julkort
ringer / mamma

  Fortsätt att diskutera:
Vad glömmer ni ofta bort att göra?
Glöm inte att redovisa!

I vissa sammanhang kan man utelämna att före infinitiv, t.ex. i ordspråk.

 Arbeta i grupper/par och diskutera:
Vad måste man göra varje dag, varje vecka, varje månad, varje år …?

Tala är silver, tiga är guld
Ordspråk

70. En intervju

Fråga: – Var skulle du vilja bo?
Svar: – I Sverige, förstås.
Fråga: – Vilken är din favoritblomma?
Svar: – Maskrosen.
Fråga: – Vem är din favoritförfattare?
Svar: – Kerstin Ekman.
Fråga: – Vad är du mest rädd för?
Svar: – Ormar!
Fråga: – Vilken historisk person
beundrar du?
Svar: – Gustav Vasa.
Fråga: – Vilken nu levande person
beundrar du?
Svar: – Påven.
Fråga: – Vad är ditt favoritcitat?
Svar: – Borta bra men hemma bäst.
Fråga: – Vilket föremål bär du alltid
med dig?
Svar: – Mitt ID–kort!
Fråga: – Vad tråkar ut dig?
Svar: – Teve.
Fråga: – Vad gör dig deprimerad?
Svar: – Krig.
Fråga: – Vilken är din favoritfärg?
Svar: – Blått.
Fråga: – Vilket är ditt favoritdjur?
Svar: – Katten.
Fråga: – Vilket är ditt favoritord?
Svar: – Älskling.
Fråga: – Vilket är ditt favoritnamn?
Svar: – Vet ej.
Fråga: – Vem är din favoritmusiker?
Svar: – Ulf Lundell.
Fråga: – Vad betyder lycka för dig?
Svar: – Att få vara frisk.

Fråga: – Vad läser du just nu?
Svar: – *Aprilhäxan* av Majgull Axelsson.
Fråga: – Vad avskyr du?
Svar: – Likgiltighet.
Fråga: – Vilken talang skulle du vilja ha?
Svar: – Att kunna spela trumpet.
Fråga: – Vart skulle du vilja resa?
Svar: – Till Japan.
Fråga: – Vilken maträtt tycker du bäst om?
Svar: – Mammas köttbullar.

---

§ **VILKEN/VILKET**
Vilken är di**n** favoritfärg?   (**en** färg)
Vilket är di**tt** favoritdjur?   (**ett** djur)
Vilka är di**na** favoritfärger? (många färger)

Intervjua varandra!
Använd gärna frågorna i texten,
men gör även egna!

71. När ska vi träffas?

Stefan har fest. Det är mycket folk, bra musik och hög stämning. Där är Susanne, och där är Henrik också, och där träffar de varandra för första gången. De pratar med varandra och dansar med varandra och håller varandra i handen hela kvällen. Det är kärlek vid första ögonkastet!

Klockan är mycket. Henrik och Susanne ser varandra i ögonen:

H: Älskling, kan vi träffas imorgon kväll?
S: Jag kan inte. Jag måste hälsa på mamma då. Jag måste stanna där hela dan.
H: I övermorgon då?
S: Tyvärr! Då får jag besök! Men på tisdag kanske?
H. Äsch! Jag är på tjänsteresa på tisdag och onsdag. Men på torsdag kväll har jag tid.
S: Nej, då har jag en kurs i franska. Jag kan inte skolka från den. Men på fredag är jag ledig.
H: Men då måste jag jobba över. Och på lördag måste jag hjälpa min syster. Hon ska flytta då.
S: Vad svårt, hör du! Nästa vecka då?
H: Är det vecka 31? Nej, då är jag upptagen nästan hela tiden. Men vecka 32 då – hur verkar den?
S: Ja, där har jag också lite tid. Vi säger det! Vi ringer varandra då!
H: Det säger vi! Godnatt då, älskling! Vi ses någon gång i vecka 32!

TIDSUTTRYCK
imorgon bitti
imorgon kväll
i övermorgon
på onsdag (morgon, kväll)
nästa onsdag
nästa vecka

FRASER
Vi ses imorgon!
Vi hörs!
Vi träffas ikväll!
Vi säger det!

 Klassen vill ha en klassfest. När kan ni ha den?
Titta i almanackan och diskutera!

De älskar **varandra**.
(Han älskar henne och hon älskar honom.)
Vi hjälper **varandra**.
(Jag hjälper dem och de hjälper mig.)
Vi lånar **varandras** kläder.
(Jag lånar hans kläder och han lånar mina.)

Vi träffas på måndag!
*(Vi träffar **varandra** på måndag.)*
Vi hörs!
*(Vi hör av **varandra**.)*

72. Kommunikationsproblem

På AB Skrot & Korn *Klockan 09.15*
Chefen: Vi måste sälja mer! Vi måste hitta nya kunder! Svenska Prylbolaget vill kanske köpa våra produkter. Anders, ring till inköpschefen på Svenska Prylbolaget och prata med henne! Hon heter visst Bodin.
Anders: Okej. Det ska jag göra meddetsamma.

På Svenska Prylbolaget *Klockan 09.20*
Växeln: Svenska Prylbolaget, godmorgon!
Anders: Godmorgon! Får jag tala med inköpschefen, Bodin?
Växeln: Pia Bodin? Ett ögonblick! Det är upptaget. Vill ni vänta?
Anders: Nej tack, jag ringer igen.

På Svenska Prylbolaget *Klockan 13.15*
Växeln: Svenska Prylbolaget, godmiddag!
Anders: Hej igen! Jag vill tala med Pia Bodin.
Växeln: Beklagar, men hon är på lunch.
Anders: När kommer hon tillbaka?
Växeln: Halv två brukar hon komma. Vem kan jag hälsa från?
Anders: Anders Mattson på Skrot och Korn. Men jag försöker ringa igen.

På Svenska Prylbolaget *Klockan 14.15*
Växeln: Svenska Prylbolaget, godmiddag!
Anders: Pia Bodin, är hon inne?
Växeln: Hon är upptagen med en kund. Kan hon inte ringa tillbaka?
Anders: Jo, jag heter Mattson och ringer från Skrot och Korn. Jag har nummer 123 45 67. Jag vill diskutera en sak med henne. Kan du framföra det, är du snäll!
Växeln: Det ska jag göra.

På AB Skrot & Korn *Klockan 16.45*
Växeln: Skrot och Korn!
Pia: Godmiddag. Jag heter Pia Bodin. Jag söker Anders Mattson.
Växeln: Han sitter tyvärr i sammanträde. Kan jag framföra något?
Pia: Nej, jag ska gå hem nu. Jag ringer imorgon igen.
Växeln: Då är han tyvärr på tjänsteresa.
Pia: Det kan inte hjälpas. Det är kanske inte så viktigt. Adjö!

VARFÖR SVARAR DE INTE?
Han är på lunch.
Hon är på sammanträde.
Han är på tjänsteresa.
Hon har semester.
Han är på tjänsteärende.
Hon är sjuk.
Han är pappaledig.
Hon är inte på sitt rum.

FRASER
Får jag tala med ...
Det är upptaget.
Ett ögonblick!
Jag söker ...
Vem kan jag hälsa från?
Hon är upptagen.
Kan du framföra det?
Han sitter tyvärr i sammanträde.
Hon är tyvärr på tjänsteresa.

Gör egna dialoger! En ringer och söker någon, och en svarar.

73. En dag för hundra år sedan

För precis hundra år sedan – då bodde min farfarsfar och min farfarsmor i Hallstavik. Min farfar var sju år och gick i skolan. En alldeles vanlig dag såg ut så här:

Klockan fyra steg mor (=farfarsmor) upp och tände i vedspisen i köket, kokade vatten och satte på gröt och gjorde i ordning matsäck åt far och son. Klockan fem satt hon och far (=farfarsfar) och åt frukost, och halv sex gav sig far iväg. Han hade fem kilometer till sågverket och måste gå hela vägen.

Viktor (det var min farfar) började skolan klockan åtta, och sedan hade han en timmes rast klockan tolv. Då åt barnen matsäcken som de hade med sig hemifrån. Under tiden var inte mor sysslolös. Hon sydde eller sydde om kläder till rika familjer, och varje dag gick hon in till staden och hämtade nya beställningar eller lämnade tillbaka färdiga kläder. Sedan satt hon hemma och sydde.

Klockan halv fem kom Viktor hem från skolan. Han åt en smörgås till mellanmål, och sedan gjorde han läxorna – läsning, skrivning eller en psalmvers. Ibland kunde han gå ut och leka också. Vid sjutiden kom hans far hem, trött och hungrig, och då åt hela familjen middag: sill och potatis eller rotmos och fläsk eller ärtsoppa eller stekt gröt ...

Efter middagen satt far och rökte pipa och läste Socialdemokraten, mor satt och stoppade strumpor och Viktor låg på golvet och lekte. Halv nio måste Viktor gå till sängs, och strax därefter släckte mor i spisen och de vuxna gick också och lade sig. En dag var till ända.

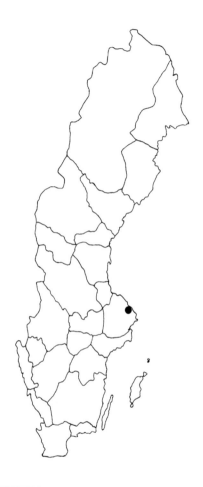

Preteritumformen -de för verb som slutar på -a i imperativ uttalas inte alltid i talspråk.

Exempel: Han titta' på teve igår.
Hon tala' med Pelle i förrgår.
Han plantera' på marken.

I skrift markerar man det ibland med ett '-tecken.

presens	preteritum	
är	var	oregelb
går	gick	"
ser ut	såg ut	"
stiger upp	steg upp	starkt
sätter på	satte på	oregelb
gör	gjorde	"
sitter	satt	starkt
äter	åt	starkt
ger sig iväg	gav sig iväg	oregelb
måste	måste	oregelb
kommer	kom	starkt
kan	kunde	oregelb
ligger	låg	"

Många verb är oregelbundna bara i *en* form.

Man ser inte alltid på preteritumformen om ett verb är starkt eller oregelbundet.

Vad gjorde du igår?

 Fortsätt meningarna här nedan och berätta om dig själv! Tänk på ordföljden!

1. Igår morse ...
2. Vid tiotiden ...
3. Klockan 12 ...
4. Runt två ...
5. På eftermiddagen ...
6. Vid sextiden ...
7. Igår kväll ...

 Fråga nu varandra: Vad gjorde du igår morse, vid tiotiden etc.

 Fråga mera!
Till exempel: Vad gjorde du ...
... i förrgår? ... i fredags? ... i torsdags?
... i onsdags? ... i tisdags etc.

 FREDMANS SÅNG NR 35
Text och musik:
Carl Michael Bellman (1740–1795)

Gubben Noak, gubben Noak
var en hedersman,
när han gick ur arken
plantera' han på marken
mycket vin, ja mycket vin, ja
detta gjorde han.

Han väl visste, han väl visste
att en mänska var
törstig av naturen
som de andra djuren,
därför han ock, därför han ock
vin planterat har.

Gumman Noak, gumman Noak
var en hedersfru.
Hon gav sin man att dricka;
fick jag sådan flicka,
gifte jag mig, gifte jag mig
just på stunden nu.

74. Huvudvärk i tårna?

Jag har en vän, som heter Mats, som går och utbildar sig till massör. Det är en ganska dyr utbildning, och den tar lång tid, för han måste läsa en massa anatomi och träna olika tekniker. Just nu lär han sig zonterapi, och igår var han hemma hos mig och övade sig på mig.

Jag satt i en soffa och lade upp fötterna i knät på honom. Han masserade en fot i taget och klämde och tryckte. Olika delar av foten har nämligen förbindelse med olika organ i kroppen, förklarade han.

Tårna har förbindelse med hjärnan, ögonen, öronen och halsen, hälen med tarmarna, och olika delar av fotsulan har förbindelse med magen, levern, hjärtat och njurarna. Det lät konstigt. Jag hade lite huvudvärk och ont i ögonen. Då strök och masserade han stortårna på mig i ca tio minuter – och tänk! Jag blev alldeles lugn och sömnig, och huvudvärken gick över! Vad ska man tro?

75. Människokroppen

 Kan du hitta kroppsdelarna?

1. tå -n
2. ben -et
3. häl -en
4. stjärt -en
5. bröst -et
6. axel -n
7. hals -en
8. öra -t, öron
9. huvud -et, huvuden
10. panna -n
11. öga -t, ögon
12. haka -n
13. arm -en
14. armbåge -en
15. hand -en, händer
16. näsa -n
17. hår -et
18. kind -en -er
19. mun -nen
20. midja -n
21. mage -n
22. fing/er -ret
23. lår -et
24. knä -t
25. vad -en
26. fot -en, fötter

76. Va, ingen telefon?

A: Vad tycker du om *Ally McBeal*?

B: *Ally McBeal*? Vad är det?

A: Det är ett program på teve, det vet du väl?

B: Jag har ingen teve.   *(Jag har inte någon teve.)*

A: Va, har du ingen teve?   *(Va, har du inte någon teve?)*

B: Nej, jag lyssnar på radio och läser och
   går på teater och bio ...

A: Jaha ... Men bil har du?

B: Nej, jag har ingen bil ... och inget körkort.   *(Jag har inte någon bil och inte något körkort.)*

A: Inget körkort!   *(Inte något körkort!)*

B: Nej. Och jag har ingen telefon heller.   *(Jag har inte någon telefon heller.)*

A: Va, ingen telefon! Du skojar!   *(Va, inte någon telefon!)*

B: Nej, det är sant.

A: Hur går det då?

B: Det går bra. Det är jätteskönt.
   Och det finns automater.

A: Ja, ja. Men du är gift?

B: Nej. Jag är inte gift.
   Jag har varken fru eller flickvän.
   Jag bor ensam utan telefon och teve
   och sambo, och jag mår jättebra!

 Använd **ingen**, **inget** eller **inga**
och berätta vad Arne *inte har*!
Ex: Han har ingen telefon, han har ingen bil etc.
Heter det en eller ett telefon etc?
Slå upp i ordlistan eller fråga din lärare!

Berätta sedan vad han *inte vill ha*!
*Ex: Han vill inte ha någon bil, han vill inte
ha någon teve.*

§ INGEN – INTE NÅGON

en bil	ingen bil	ett hus	inget hus	flera bilar	inga bilar
	inte någon bil		inte något hus		inte några bilar

Man kan säga **ingen** eller **inte någon**.
Inte någon måste man använda, när man har flera verb i en huvudsats, och alltid i bisats.

Använd varken … eller och berätta vad Petra inte har!

Exempel: Hon har varken teve eller radio.

teve	radio
öl	whisky
salt	peppar
grammofon	kassettbandspelare
tid	lust
WC	badrum
skrivmaskin	dator
pass	biljetter
man	barn

 Använd inte …heller och berätta vad Tobias inte kan eller har!

Exempel: Han talar inte spanska och inte italienska heller.

talar spanska	italienska
dricker öl	whisky
har tid	lust
kan spela piano	gitarr
tycker om countrymusik	jazz
behöver städa	bädda sängen
läser böcker	tidningar

NYA ORD

telefon	badrum
bil	syskon
pengar	kök
vänner	pass
teve	arbetstillstånd
radio	nycklar
CD-spelare	cykel
tvättmedel	bröd
senap	barn
smör	lust
mjölk	kaffe
vin	socker
whisky	öl
grammofon	tid
skivor med Elvis	instrument
paraply	

 Rätt eller fel?

1. Sverige har ingen president.
2. Sverige har ingen sommar.
3. Sverige har inga skogar.
4. Sverige har inga invandrare.
5. Sverige har inga höga skatter.
6. Sverige har ingen arbetslöshet.
7. Sverige har inga kommunistiska partier.
8. Ingen över 18 år får rösta i Sverige.
9. Sverige har inget jordbruk längre.
10. Sverige är inget rikt land.
11. Ingen över 16 år måste gå i skolan.
12. Det finns inga bra svenska teveprogram.

77. Finns det ingen lägenhet åt mig?

På en privat rumsförmedling

Torbjörn: Har ni någon ledig lägenhet åt mig? Jag vill ha en tvåa någonstans i stan. Men jag vill ha en hyreslägenhet. Jag kan inte köpa någon bostadsrätt.

Mäklaren: Ja, vi har faktiskt en fin, ny tvåa i centrum. Hyran är 6 000 i månaden.

Torbjörn: Nej, det är alldeles för mycket! Det måste vara låg hyra! Jag har inget fast jobb än, så jag har inte så mycket pengar.

Mäklaren: Jaså, ja, då har vi en sommarstuga utanför stan. Där är hyran bara 1 700 i månaden.

Torbjörn: Bra!

Mäklaren: Men det finns ingen centralvärme och inget varmvatten och inget bad heller förstås. Och ingen toalett, bara dass på gården.

Torbjörn: Nej, så kan jag inte leva. Finns det verkligen ingenting annat?

Mäklaren: Vi har en möblerad etta här. Ägaren tänker vara borta i två år. Hyran är 3 500.

Torbjörn: Nej, jag vill inte ha något andrahandskontrakt. Jag vill ha ett eget kontrakt!

Mäklaren: Å, nu kommer jag ihåg! Här har vi ju en stor etta i ett gammalt hus nära centrum. 57 kvadratmeter och bara 3 000 i månaden. Det är 4 trappor upp,

men det finns ingen hiss.

Torbjörn: Det gör ingenting!

Mäklaren: Det finns inget riktigt kök heller, bara en kokvrå, och inget bad, men dusch finns det i alla fall.

Torbjörn: Finns det tvättstuga i huset?

Mäklaren: Jadå. Och det är ett mycket lugnt område. Nästan bara gamla människor och inga barn.

Torbjörn: Det var bra. Jag vill inte ha några bråkiga grannar. Jag övar mycket hemma, och då behöver jag lugn och ro.

Mäklaren: Övar? Övar vad då?

Torbjörn: Trombon! Jag spelar trombon! Okej, jag tar lägenheten!

Diskutera: Hur ser bostadssituationen ut i svenska storstäder idag?

97

Arbeta tillsammans! Ett par i 25-årsåldern söker en bostad och har hittat följande objekt på Internet. Hur blir samtalet mellan spekulanterna och mäklaren?

Läge	Bäckby AXEL OXENSTIERNAS G 11 VÄSTERÅS
Typ	Hyreslägenhet Våningsplan 2 av 4
Storlek	Boarea ca 74 kvm, 3 rum varav 2 sovrum.
Hyra	4.399 kr/mån
Lgh.nr	211-104- 2- 201
Nr.	17134458/MIMMB986664

⊞ Visa läge på karta

Utrustn.	I köket finns spis, spisfläkt, kyl och kakel. I badrummet finns tvättmaskin och torktumlare. Ett badrum/wc med badkar, tvättställ och kakel samt ett WC med toalett, tvättställ och kakel.
KabelTV:	Ansluten till kabelnät mot avg
Fastigheten	Byggår: 1972. I fastigheten finns Tvättstuga, Torkrum, Cykelförråd och Förråd.

Tillträde	2001-03-01

§ RÄKNEBARA SUBSTANTIV
Artikel eller inte?

Har du ...

... telefon?

... bastu?

... bil?

... jobb?

Normalt har man bara en bastu, en telefon etc.

Har du ...

... en cigarrett?

... ett lexikon?

... ett glas?

... en kniv?

Kan jag få låna/använda den/det?

Har du ...

... någon bok av PC Jersild?

... något lexikon?

... någon idé?

... någon skiva med Evert Taube?

Man kan ju ha mer än en!

§ OBESTÄMDA SUBSTANTIV I FRÅGOR OCH NEGATIONER

Icke räknebara substantiv	Normalt bara en
Han har tid.	Han har villa.
Har han tid?	Har han villa?
Han har inte/ingen tid.	Han har inte/ingen villa.

Räknebara substantiv

Han har en ordbok.	en	ett	flera
Har han någon ordbok?	någon	något	några
Han har ingen ordbok.	ingen	inget	inga

Med ett verb

Jag	*har*	ingen	ordbok.
Jag	*köper*	inget	frimärke.
Jag	*har*	inga	pengar.

Med två verb

Jag	*vill*	inte	*ha*	någon	ordbok.
Jag	*behöver*	inte	*köpa*	något	frimärke.
Jag	*vill*	inte	*ha*	några	pengar.

Artikel eller ej?

Skriv en/ett, någon/något eller ingenting!

1. Har du ... telefon?
2. Har du ... cigarrett?
3. Han tittar på ... teve.
4. Har du köpt ... dator?
5. Hon är ... läkare.
6. Har du ... bra jobb?
7. Har du ... bror?
8. Vi har ... villa i Nacka.
9. Han skriver ... roman.
10. De lyssnar på ... radio.
11. Han lyssnar på ... sång med Beatles.
12. Hon har ... nytt jobb.
13. Bor ni i ... stor lägenhet?
14. Hon läser ... roman av Tolstoj.
15. Du har ... fin bokhylla!
16. Spelar du ... gitarr?
17. Vi måste köpa ... bord till köket.
18. Jag har köpt ... bok av Strindberg.
19. Det finns ... bandspelare i klassrummet.
20. Har du ... nyckel?
21. Fick du ... kvitto?
22. Ska vi ha ... fisk till middag?
23. Dricker du ... öl?
24. Köp ... burk tomater!
25. Det finns ... torkskåp i tvättstugan.

 Diskutera varför!

78. Skolåret

Det är den sextonde augusti. Skolgården är full av folk – glada barn och ledsna barn, snälla barn och bråkiga barn, stora och små, också små sjuåringar och deras stolta föräldrar.

Idag börjar höstterminen. Den börjar alltid i mitten av augusti och slutar omkring den tjugonde december. Sedan har elever och lärare jullov i tre veckor ungefär.

Därefter startar vårterminen, omkring den nionde–tionde januari (det är lite olika i olika kommuner). Sedan har eleverna två lov under terminen – ett sportlov i slutet av februari eller början på mars och ett vid påsk.

Vårterminen varar till den nionde–tionde juni. Då börjar äntligen sommarlovet. Då hissar skolan flaggan, och rektor håller tal, och skolgården är full av folk igen – glada barn (och ett och annat ledset), snälla barn och bråkiga och små åttaåringar och deras stolta föräldrar!

 Hur många terminer har skolan i ditt land?
När börjar och slutar de?
Hur många lov har ni?
Hur länge varar de? Berätta!

§ ORDNINGSTALEN

1	första	21	tjugoförsta
2	andra	22	tjugoandra
3	tredje	23	tjugotredje
4	fjärde	24	tjugofjärde
5	femte	25	tjugofemte
6	sjätte	26	tjugosjätte
7	sjunde	27	tjugosjunde
8	åttonde	28	tjugoåttonde
9	nionde	29	tjugonionde
10	tionde	30	trettonde
11	elfte		
12	tolfte		
13	trettonde		

> Jämför
> 13:e-30:e, 14:e-40:e etc!

14	fjortonde	40	fyrtionde
15	femtonde	50	femtionde
16	sextonde	60	sextionde
17	sjuttonde	70	sjuttionde
18	artonde	80	åttionde
19	nittonde	90	nittionde
20	tjugonde	100	hundrade

Jag är född   den trettonde januari *eller*
den trettonde i första

Dag och datum

–Vad är det för dag idag?
– Det är fredag.
–Vad är det för datum idag?
– Det är den trettonde.
– Hjälp!

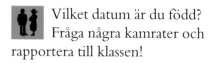
Vilket datum är du född?
Fråga några kamrater och
rapportera till klassen!

Fakta

Alla svenska barn går nio år i grundskolan. Det är obligatoriskt. Kommunerna är också skyldiga att erbjuda alla sexåringar plats i en förskoleklass. Man börjar första klass vid sju års ålder och slutar vid 16 års ålder. Det blir vanligare och vanligare med fristående skolor, som liksom de kommunala skolorna är avgiftsfria. Dessa skolor har ofta en egen inriktning, t.ex. speciell pedagogik (som montessori- eller waldorfpedagogik), språklig/etnisk inriktning eller så kan de vara skolor med en viss religiös prägel.

Efter grundskolan får alla som vill fortsätta på gymnasiet. I slutet av 1990-talet fortsatte hela 98 procent till gymnasieskolan. Några hoppar dock av före sista året. Det är mycket svårt att hitta ett arbete direkt efter grundskolan, så gymnasieutbildningen är viktig. Från 2000 finns det 17 olika nationella program, samtliga är treåriga. De ger en bred basutbildning och behörighet att studera på universitet eller högskola.

Många som läser vidare på högskolan tar en fil. kand.-examen. Det tar minst tre år och för att få en fil. mag. måste man studera i minst ett år till. Ytterligare fem–sex år och du kanske blir fil. doktor! De som hoppar av skolan kan fortsätta senare och läsa på KOMVUX, en skolform för vuxna. Det finns även s.k. folkhögskolor, som erbjuder både studieplats och boende. Där kan man läsa många olika ämnen och få grundskole- och gymnasiekompetens. Men man måste vara över 18 år.

Med andra ord: I Sverige har alla möjlighet att studera och det är aldrig för sent att börja!

79. Ett år

Månader

januari
februari
mars
april
maj
juni
juli
augusti
september
oktober
november
december

FRASER

Glad Påsk!
Glad midsommar!
God Jul!
Gott Nytt År!
God fortsättning!
Trevlig helg!

Årstider

vinter
vår
sommar
höst

Helger

nyår
trettondedagen
påsk
Kristi himmelsfärdsdag
första maj
pingst
midsommar
allhelgonadagen
jul

En ramsa

Trettio dagar har november,
april, juni och september,
februari tjugoåtta allen,
alla de övriga trettioen.

Födelsedag

– När är din födelsedag?
– Jag fyller faktiskt år i dag.
– Va? Men då måste vi sjunga en sång!

 **JA, MÅ HAN LEVA**
Folklig anonym visa

Ja, må han leva
ja, må han leva
ja, må han leva uti hundrade år.
Javisst, ska han leva
javisst, ska han leva
javisst, ska han leva uti hundrade år!

– Ett fyrfaldigt leve för födelsedagsbarnet!
  Han leve!
– Hurra! Hurra! Hurra! Hurra!

– Gratulerar på födelsedagen!
– Tackar.
– Hur ska du fira din födelsedag, då?
– Vi ska bara ha en liten fest hemma. Jag
  fyller ju inte jämna år.

101

80. Allmänna flaggdagar

Nyårsdagen	1 januari (den första ...)
Karl, kungens namnsdag	28 januari (den ...)
Viktoria, kronprinsessans namnsdag	12 mars
Påskdagen	olika datum
Valborgsmässoafton	30 april
Kungens födelsedag	30 april
Första maj	1 maj
Pingstdagen	olika datum (50 dagar efter påsk)
Sveriges nationaldag	6 juni
Midsommardagen	omkring den 21 juni
Kronprinsessans födelsedag	14 juli
Sylvia, drottningens namnsdag (Silvia)	8 augusti
Dagen för riksdagsval, vart fjärde år	tredje söndagen i september
FN-dagen	24 oktober
Gustav Adolfsdagen	6 november
Nobeldagen	10 december
Drottningens födelsedag	23 december
Juldagen	25 december

Dessutom kan man flagga när skolan börjar och slutar, när någon i familjen fyller år, på söndagar, helgdagar etc.

Mellan 1 mars och 31 oktober hissar man flaggan klockan åtta och halar den vid solens nedgång.

Mellan 1 november och 28 februari hissar man flaggan klockan nio och halar den senast klockan tre.

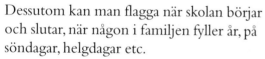 När flaggar man i ditt land? När är det nationaldag? Firar man kungens, drottningens, presidentens etc. födelsedag? Berätta! Diskutera!

Hur skriver man datum på svenska?

- Stockholm den 19 april 2001
  i brev eller när man undertecknar något
- 24 juli 1999, 7/10 1953 eller 7/10-53
  2000–12–13
  ofta i affärsbrev
- 02–05–29 eller 02.05.29
  varianter av modellen ovan
- 811009–6986
  datum i personnummer

> Modellen med
> **år, månad, datum**
> är en "internationell" standard som nästan bara förekommer i Sverige!

81. En stor dag

Det var en stor dag. Klockan var redan halv sju och han måste skynda sig. Han duschade och tvättade sig extra noga, rakade sig och borstade tänderna.

Sedan tog han fram rena underkläder och strumpor och en ny, vit skjorta och klädde på sig. Han ställde sig framför spegeln och knöt en perfekt knut på flugan, kammade sig, tog på sig fracken och stoppade till sist en nejlika i knapphålet. Han var färdig.

"Jag är både lycklig och stolt", sa han till sig själv. På gatan väntade redan taxin. Svenska Akademien väntade. Kungen väntade. Hela Sverige väntade. Han satte sig i taxin och upprepade: "Ers majestät! Mina damer och herrar! Jag är både lycklig och stolt! Jag känner mig som i en dröm …" Då vaknade han.

§ **REFLEXIVA VERB**	OBSERVERA ORDFÖLJDEN				
jag tvättar **mig**	**Fund**	**Verb**	**Subj**	**Refl-obj**	**Adverb**
du tvättar **dig**	Jag	tvättar	–	mig	ofta.
han tvättar **sig**		Tvättar	du	dig	ofta?
hon tvättar **sig**	När	tvättar	han	sig?	
vi tvättar **oss**	Igår	tvättade	vi	oss	inte.
ni tvättar **er**	Varför	tvättar	ni	er	aldrig?
de tvättar **sig**					

Reflexivt objekt kommer *efter* subjektet men *före* satsadverbet!

82. Nobeldagen, den 10 december

Den 10 december 1896 dog kemisten och uppfinnaren Alfred Nobel. Hans förmögenhet bildade en fond, och ur den delar man sedan 1901 varje år ut fem nobelpris: i fysik, kemi, medicin, litteratur och ett fredspris (delas ut i Oslo). Idag uppgår ett nobelpris till ungefär 9 miljoner kronor.

Det är kungen som delar ut prisen, och efter prisceremonin har man en stor fest i Stadshuset i Stockholm. Man äter och dricker och håller tal och dansar, och festen håller på till sent på natten. Teve sänder både från prisceremonin och festen efteråt, och i många länder följer man evenemanget med stort intresse. Nobelpriset och Sverige är på allas läppar!

 Känner du till någon nobelpristagare från ditt land? I vilket ämne?

På morgonen hemma hos Carina

 Lyssna på bandet och skriv ordet/orden som saknas!

Jag: Berätta om … själv, Carina! Vem är du?

Carina: Ja, jag är 33 år och jag är assistent till personalchefen på … företag.

Jag: Hur mycket … ?

Carina: Jag arbetar heltid.

Jag: Har du familj … ?

Carina: Ja, jag är gift. Min man är meteorolog, och så … två små flickor.
Sanna är 7 och Hanna är 10.

Jag: Men hur hinner du med både arbetet, … och din man?

Carina: Ja, … så lätt alla gånger.
Men flickorna trivs i skolan, … och på eftermiddagen … till fritis.
På måndag, tisdag och onsdag hämtar … där på eftermiddagen, och på torsdag och fredag hämtar min man … .

Jag: Berätta om en vanlig morgon hemma … !

Carina: Jaha, … vid sextiden och stiger upp och sätter på kaffe … och min man.
Sen väcker jag flickorna och lagar frukost åt dem.
Sanna, hon äter så sakta, så jag måste alltid … ..
Sten – min man – vill ha lugn och ro på morgonen.
Han läser tidningen eller gör i ordning alla papper, … på jobbet.

Sedan måste flickorna … och borsta tänderna, bädda sängen och … och kamma … . Hanna kan själv, men Sanna måste jag hjälpa.
Jag kammar … och ibland sätter jag upp håret åt henne.
Vi har ofta långa diskussioner om olika frisyrer.
Halv åtta … vid ytterdörren och tittar på klockan och ropar:
”… . Klockan är mycket! Ska ni följa med eller inte?”
Han … till skolan och mig till tunnelbanan, men först måste jag … ordning själv. Äntligen … färdiga alla tre och jag låser dörren.
Då kommer det: ”Mamma, jag glömde mina gympakläder!
Vi måste … gympakläder idag, sa fröken!”
Så är det varje morgon … !

 Hur är det hemma hos dig på morgonen? Skriv och berätta!
Använd gärna reflexiva verb, t.ex.:

rakar sig
tvättar sig
målar sig
skyndar sig
gör sig i ordning
klär på sig
känner sig

83. Vad svarar du?

 Försök att hitta ett bra svar till frågorna!

1. Hej! Hur står det till?
2. Tack för hjälpen!
3. Vill du ha en påtår?
4. Har du en cigarrett?
5. Kan du räcka mig saltet?
6. Usch, vilket väder!
7. Jag ska skriva ett prov idag.
8. Jag är jätteförkyld.
9. Jag fyller år idag.
10. Kan du göra mig en tjänst?
11. Får jag låna telefonen?
12. Ska jag skjutsa dig hem?
13. Vad snygg du är idag!
14. Jag klarade inte provet. Snyft!
15. Har du något emot att jag röker?
16. Är den här platsen ledig?
17. Vill du följa med mig hem
    och titta på mina frimärken ikväll?

a. Här. Varsågod.
b. Tack, bara bra. Och själv då?
c. Åh, gratulerar.
d. Ja, varsågod, den står i hallen.
e. Det vore snällt.
f. Ja, tack, det skulle smaka gott.
g. Det var så lite så.
h. Nej tyvärr. De är slut.
i. Ja, vad gäller det?
j. Tack ska du ha.
k. Var inte ledsen. Det går fler tåg.
l. Nej, varsågod.
m. Ja, är det inte!
n. Nej, tyvärr. Den är upptagen.
o. Gå hem och lägg dig och drick något varmt!
p. Lycka till!
q. Nej, jag tror inte det.

84. Hur sover du?

Vi gjorde en undersökning bland våra
vänner. Vi frågade dem: "Hur sover ni?"
Här är svaren:
Fem sover väldigt djupt.
Tio sover tungt.
Fyra sover oroligt.
Sex sover ganska lätt.
Tre sover drömlöst (påstår de).
De flesta sover gott,
men tre sover dåligt
och en mycket dåligt.
Flera drömmer i färg.
Tolv sover för öppet fönster.
Femton sover med fönstret stängt.
De som är gifta sover i dubbelsäng,
utom ett par.

Fjorton sover med en kudde under huvudet.
Tretton sover med två kuddar.
Tolv stycken föredrar en mjuk säng, medan
fem tycker om hårda sängar.
Många bäddar med påslakan.

Ingen snarkar, säger de. Men fem fruar säger,
att deras män snarkar.
En snarkar otroligt högt! säger en fru (hon
vill vara anonym).

Hur sover ni?
Gör en undersökning i klassen!

Diskutera i klassen
och redovisa resultatet!
Vad kan man göra fort?
sakta?
hårt?
tydligt?
noggrant?
slarvigt?
högt?

Fråga varandra och redovisa resultatet!
Hur sjunger du?
Hur dansar du?
Hur arbetar du?
Hur studerar du?
Hur sover du?

---

§ ADVERB   – t

Hon sover djupt.	(Hur sover hon?)	Hon sover väldig**t** djup**t**.	(Hur djupt sover hon?)
Hon sjunger falskt.	(Hur sjunger hon?)	Hon sjunger hemsk**t** falsk**t**.	(Hur falskt?)
De lever farligt.	(Hur lever de?)	De lever ganska★ farligt.	(Hur farligt?)
Vi tänker intensivt.	(Hur tänker vi?)	Vi tänker verkligen★ intensivt.	(Hur intensivt?)

Adverb bestämmer verb, adjektiv, adverb och svarar ofta på frågan **Hur**?

★ Alla adverb slutar inte på **–t**, t.ex. verkligen, ganska, lite.

85. Luciamorgon

Klockan är sex på morgonen den trettonde december, och ute är det mörkt och kallt. Inne hos Millan är det emellertid ljust och varmt, för det står levande ljus överallt, och det doftar gott. I köket står några trötta ungdomar och brygger kaffe och värmer upp lussekatter i ugnen.

Klockan sju ska de vara i Farsta. Där bor deras lärare, och de ska få skjuts dit av Millans pappa i hans minibuss. Flickorna tar på sig lucialinnen och sätter glitter i håret. Bara en av pojkarna har stjärngossemössa, men två stycken har i alla fall vita skjortor. De går ner till bilen under fniss och stoj, och Millans pappa hyssjar på dem: "Ni väcker ju upp hela huset!"

Strax före sju är de framme i Farsta. De åker hiss upp – läraren bor på tionde våningen. De fnittrar nervöst i hissen, men väl uppe lugnar de ner sig. De ringer på dörren och läraren öppnar och ser förvånad ut: "Nej, men vilken överraskning! Kom in!" Inne i lägenheten börjar de sjunga, först lite falskt men sedan låter det riktigt vackert:

SANKTA LUCIA
Text: Arvid Rosén (1895–1973)
Musik: Folklig melodi från Neapel

Natten går tunga fjät,
runt gård och stuva.
Kring jord, som sol'n förlät,
skuggorna ruva.
Då i vårt mörka hus
stiger med tända ljus:
Sankta Lucia, Sankta Lucia.

Och alla kommer ihåg att gå ner första gången och upp andra gången på "Sankta". De bjuder läraren och hans fru på kaffe, bullar och pepparkakor, och läraren bjuder dem på glögg, alkoholfri förstås! (Tyvärr, tycker en del.) Klockan halv åtta säger läraren: "Nej, nu måste vi åka in till skolan. Millan och David ska ju vara med och sjunga."

De kommer fram strax före klockan åtta och går in i aulan. Vaktmästaren släcker ljuset och efter några minuter kommer luciatåget. Eleverna är förvånansvärt tysta under Lucia-sången, Staffansvisan och de andra sångerna och applåderar våldsamt på slutet, och lucian, tärnorna och stjärngossarna kan gå ut och känna sig lite stolta.

Resten av dagen går trögt – många stannar ju uppe hela natten och firar – och man gäspar stort både här och där. Äntligen är skoldagen slut, och eleverna får gå hem, många fortfarande med glitter i håret.

§ ADVERB

Man *är* där.

Ute är det mörkt och kallt.
Inne hos Millan är det varmt.
Där bor deras lärare.
Klockan sju är de framme i Farsta.
Eleverna stannar uppe hela natten.
Hon är hemma på dagarna.
De väntar där nere.
Hon ska vara borta i en vecka.
Ska du stanna här?

Man *går* eller *åker* dit.

De kan gå ut.
De går in i aulan.
De ska få skjuts dit.
Han kommer fram klockan sju.
De åker hiss upp.
Eleverna får gå hem.
De går ner till bilen.
De åker bort nästa vecka.
Kom hit!

 Skriv rätt form av adverbet!

hem	Kommer du … till mig imorgon?
ner	Varför kommer inte hissen … ?
upp	Den står där … .
in	Kom … !
fram	När är vi … ?
här	Bor du … ?
bort	Han ska stanna … i ett år.
där	När ska du åka … ?
ut	Är det kallt där … ?
ner	Hon bor … på bottenvåningen.
fram	Kommer vi inte … snart?
upp	Jag vill inte gå … för alla trappor.
här	Kommer du … ikväll?
hem	De är inte … ikväll.
ut	Du får inte gå … ikväll.
bort	Hur länge ska du vara … ?
in	Du kan vänta här … .
där	… står han ju!

hem	Jag måste gå … nu.
fram	Gå … till tavlan!
ner	Hur står det till … i Malmö?
här	Åk inte … !
upp	Du måste stiga … nu!

VART SKA DU GÅ?
Text och musik:
Alice Tegnér (1864–1943)

–Vart ska du gå, min lilla flicka?
– Jo, jag ska gå och hämta dricka.
– Åt vem då, du lilla tärna?
– Åt min get som heter Stjärna.
– Får jag följa med?
  Får jag följa med?
– Ja, det får du gärna.
– Får jag följa med?
  Får jag följa med?
– Ja, det får du gärna.

86. Alis Restaurang

Ali Benachem tänker öppna en restaurang.
Han känner en landsman, som har en restau-
rang, men han tänker flytta till Australien nu
och börja ett nytt liv, och därför vill han sälja
restaurangen. Han vill ha 900 000 för den.
Så mycket pengar har inte Ali, men han tänker
försöka låna på bank. Han får kanske låna
750 000; sedan kan han be ett par släktingar
och vänner om lån.

Han tänker göra om inredningen i
restaurangen. Den ska se ut som en riktig
tunisisk restaurang. Väggarna ska vara
ljusblåa och möblerna vita. Två av hans
kusiner ska hjälpa till, och en svägerska
ska vara kock. Ali tänker servera typisk
tunisisk mat: mycket fårkött, ris, bönor
och grönsaker. Det kommer svenskarna
nog att tycka om.

Men först måste han skaffa pengar.
Själv har han just nu knappt 20 000.
Om han får låna 750 000 på banken
återstår ändå över 130 000 kronor.
Hur ska han få tag på de pengarna?

Vad tycker du?

§ FRAMTID

Svenska verb har ingen speciell form (futurum) för att uttrycka framtid.
Här följer exempel på hur man uttrycker framtid.

med **tänker**	Han tänker öppna en restaurang.	(Ungefär: Han planerar ...)
	Vad tänker du göra ikväll?	(Vad är dina planer?)
med **ska**	De ska hjälpa till.	(Det är bestämt.)
	Vad ska du göra i morgon?	(Har du planerat något?)
	Ska vi sluta nu?	(Ofta vid omedelbar framtid.)
	Vad ska vi göra?	(Ofta vid frågor.)
med **kommer att**	Det kommer svenskarna att tycka om.	(Det tror Ali. Ett slags prognos.)
	Det kommer nog att regna imorgon.	(Vi bestämmer inte över regnet.)
med **presens**	Vad gör du imorgon?	(Plus tidmarkör = imorgon, t.ex.)
	Kommer du med? (imorgon)	(Tiden kan vara underförstådd.)

Ska har även andra användningar än framtid:
Pojkar **ska** inte gråta!
Du **ska** inte vara ledsen.
Jag **ska** sluta röka.

Många som lär sig svenska använder **ska** för
mycket.
Var försiktig med **ska** som markör för
framtid!

Ska är ofta = **måste**.

Använd hellre **presensformen** eller
kommer att!

Vad kommer att hända före nästa lektion?

 Diskutera först två och två och sedan
hela klassen!

 Skriv upp era förslag på ett blädder-
block eller på en lapp, som ni kan
spara till nästa lektion! Skriv ja eller nej
efter förslagen!

Exempel:
Det kommer att regna.
Det kommer att snöa.
Någon kommer att få ett brev från Sverige.
Någon i klassen kommer att gifta sig.
Det kommer att bli tågstrejk.
Någon kommer att komma försent.

87. Hos spågumman

Vi är på ett nöjesfält. Bland karuseller, berg-och-dalbanor, stånd med pilkastning, lotterier och varmkorv sitter en spågumma i ett tält. "Madam Chloë spår Er i kort, kaffe eller handen!" står det på en skylt ovanför tält-öppningen. Men hon har visst redan besök! Mitt emot henne sitter Bodil, med handen på bordet.

— Får jag se din hand! säger spågumman. Hmm ... Du har problem på din arbetsplats, ser jag.

— Fantastiskt! tänker Bodil. Hur kan hon se det?

— Du är för snäll. Många utnyttjar dig. Men du kommer att byta jobb snart. Kanske redan om några månader, fortsätter spågumman.

— Bra! tänker Bodil.

— Du brukar spela på Lotto då och då, eller hur? frågar spågumman.

— Ja.

— Du kommer att ha tur i vår. Kanske kommer du att vinna en summa pengar.

— Hur mycket då? frågar Bodil.

— Det kan jag inte se. Men här ... här ser jag sjukdom. Du kommer att bli sjuk någon gång i vår.

— Är det allvarligt?

Spågumman svarar inte.

— Du har många vänner och bekanta, säger hon i stället.

— Jaa? säger Bodil.

— Men egentligen är du ensam. Egent-ligen är du en ensam människa. Men jag kan se kärlek också. Kärlek och lycka.

Bodil håller andan.

— Du kommer att träffa en ung, fattig man – snart, mycket snart! Han är fattig och olycklig, men du har ett gott hjärta och kommer att hjälpa honom, och därför kommer du snart att träffa en annan man – en ung, vacker, förmögen man, som kommer att bli förälskad i dig. Han kommer att märka din godhet och ni blir mycket lyckliga tillsammans!

Så är seansen över. Bodil betalar och går ut. Hon tänker pröva lyckan och köpa en lott i Chokladlotteriet.

— Ursäkta fröken!

Plötsligt står en ung man där, långhårig, orakad, klädd i en smutsig, brun kostym.

— Ursäkta fröken. Fröken ser snäll ut, och jag är i en svår situation – jag har inga pengar, jag kan inte betala mitt hotellrum, alla mina pengar är borta ... men jag ber, fröken, köp den här klockan av mig, det är ett minne av min far, det är äkta guld, men jag säljer den för bara 500, fröken gör en mycket god affär! Var lite hygglig!

Det är ödet! Bodil tvekar inte. Hon öppnar handväskan. På dansbanan spelar orkestern vals: "Que será, será".

88. Vad gör du imorgon?

– Vad gör du imorgon?
– Jag vet inte.
– Det går en bra film på Grand.
– Vad heter den ?
– *Viskningar och rop.*
– Är det Ingmar Bergman?
– Ja, det stämmer. Kommer du med?
– Ja, varför inte?
– Den börjar visst klockan åtta.
– Men det passar bra. Vi äter vid sextiden ungefär. Jag ringer dig vid sjudraget. Blir det bra?
– Javisst. Jag beställer biljetter. Det är en ganska liten bio. Janne kommer också, förresten.
– Kul!
– Sedan går vi och tar en öl och snackar lite grand, va?
– Det låter bra. Vi säger så.
– Okej, vi ses imorgon då!
– Ja, det gör vi. Hej, då!
– Hej!

§ PRESENS OM FRAMTID

Vad gör du imorgon?
Kommer du med? (Då = imorgon)
Den börjar visst klockan åtta.
Jag ringer dig vid sjudraget.
Jag beställer biljetter. (Imorgon)
Janne kommer också. (På filmen imorgon)

I svenskan använder man mycket ofta verbets **r-**form för framtid. Man måste förstås ha ett tidsuttryck med (eller underförstått).

Tidsprepositioner för framtid

om	i	på
om en timme	imorgon	på onsdag
om en kvart	ikväll	på torsdag
om en vecka	i höst	på fredag
om en stund	i påsk	på lördag

89. Valborg

Jesper och Camilla sitter och läser tidningen vid frukostbordet.

J: Titta! Kungen har födelsedag idag!

C: Ja, just det. Det är ju Valborg.

J: Vad har det med kungen att göra?

C: Kungen fyller alltid år den 30 april.

J: Jaha du. Men apropå Valborg – vad ska vi göra ikväll?

C: Vi går väl till brasan som vanligt. Sen kan vi ju gå hem och äta något gott.

J: Ska jag köpa något på väg hem? Jag slutar tre idag.

C: Nej, det behöver du inte. Jag åker till stormarknaden och handlar.

J: Det är bra. Köp inte för lite öl bara!

C: Nej då, men tänk på morgondagen! Vi ska ju gå och demonstrera då.

J: Ja, just det. Har du väderkartan i din del? Vad blir det för väder ikväll?

C: Jag ska se... Norrland, Svealand ... Götaland ... här har vi det: "Måttlig till frisk vind. Mulet men mest uppehåll. På kvällen halvklart, eventuellt sol, 6–9 grader".

J: Nåja, det brukar ju vara rätt kallt på Valborg. Men här sitter jag och drömmer! Jag måste kila. Vi ses ikväll. Ha det så bra! Puss!

C: Puss! Arbeta inte ihjäl dig!

J: Ingen risk! Hej då!

 Fakta

Den 30 april firar man vårens ankomst. Man tänder eldar och sjunger vårvisor. Unga och gamla studenter sätter på sig vita studentmössor, barn kastar smällare och ibland har man fyrverkeri. Många dricker (för) mycket också. Första maj är en helgdag. Då demonstrerar man för olika saker: högre lön, jämlikhet, kortare arbetsdag, internationell solidaritet ... Andra åker till landet i stället. De gräver och planterar och krattar löv och väntar på sommaren.

90. Ur papperskorgen

En dag hittar Barbro en massa papperslappar i papperskorgen. Hon plockar upp dem och börjar läsa. Det är ett brev till hennes man Sune. Kan du hjälpa henne? Hur ska man läsa?

 Placera papperslapparna i rätt ordning!

Kära Sune!

Tack för ditt brev!
romantiskt. Jag blev
skriva hem till mig för

Det var så vackert och
så glad!. Men du ska inte
min man kanske kan hitta
ssen till mitt arbete.

det då. Därför får du
Förresten kan vi kan
tillsammans? Har du
ll mitt jobb oc

adre
ske gå och äta lunch
tid på fredag? Du kan
ringa
ckså, till exempel mellan
1 och 2, för då har
g lunch.

Jag saknar dig!
Kyssar från
din Mimmi

91. Jag lovar att inte lova någonting

På nyårsafton ska man avlägga nyårslöften.
"Nästa år ska jag bli en bra människa!"
lovar man. Så tänder man en cigarr, häller
upp ett glas champagne och skålar. "Skål!
Gott slut och ett gott nytt år!" och tyst lovar
man att sluta röka eller att börja banta eller
någonting annat. Vi frågade några vänner om
deras nyårslöften, och så här svarade de:

Brukar ni lova något? Vad?
Skriv en lista och diskutera med
era klasskamrater!

– Jag ska sluta dricka!
– Jag ska sluta röka!
– Jag ska börja banta!
– Jag ska lära mig dansa!
– Jag ska klippa mig!
– Jag ska göra slut med Gabriella!
– Jag lovar att plugga mera!
– Jag ska raka av mig skägget!

---

§ **ska + INFINITIV**

Jag **ska** gå nu.	Det är min avsikt. (påstående)
Jag **ska** börja banta!	Jag vill det mycket starkt.
Vad **ska** du göra imorgon?	Vad har du för planer? (fråga)
Vad **ska** vi göra nu?	Ofta omedelbar framtid

Var försiktiga med **ska**! Ni brukar använda **ska** för mycket!
Det är ofta bättre med **tänker** eller **kommer att** eller bara **presens**!

---

§ **(hjälp)verb + INFINITIV / verb + att + INFINITIV**

jag **slutar** (att) sjunga	jag **lovar** att sjunga
jag **behöver** sjunga	jag **kommer att** sjunga
jag **brukar** sjunga	jag **försöker** (att) sjunga
jag **tänker** sjunga	jag **älskar** att sjunga
jag **ska** sjunga	jag **tycker om** att sjunga
jag **vill** sjunga	jag **glömmer bort** att sjunga

Nyårslöften

Det är den 31 december och alltså nyårsafton. Då brukar många svenskar lova något inför nästa år. Hemma hos Berra har några vänner en nyårsfest. Efter maten och före fyrverkeriet sitter de och pratar lite grand om nyårslöften. Vad lovar de?

  Lyssna på bandet och skriv upp vad Signe, Berra, Rune och Yvonne lovar!

 Skriv en egen dialog mellan några personer, som talar om nyårslöften!
Exempel:

> en röker för mycket,
> en diskar aldrig efter maten,
> en bäddar aldrig sängen,
> en svär väldigt mycket,
> en kommer alltid för sent till jobbet,
> en läser aldrig läxor,
> en kan inte tala tyska …

 ## Hur reagerar du?
Exempel: Hej, hur står det till?
– Bara bra, tack!

1. Vilken vacker klänning du har!
2. Kan du räcka mig smöret?
3. Vill du ha påtår?
4. Ta på dig en mössa! Det är kallt ute.
5. Har du något emot att jag röker?
6. Får jag låna telefonen?
7. Jag fyller år idag.
8. Jag har fruktansvärt ont i huvudet.
9. Jag ska skriva ett prov idag.
10. Ska jag skjutsa dig hem?
11. Kan du göra mig en tjänst?
12. Usch, vilket väder!

Välj bland de här svaren (eller gör egna):

   a) Ja, tack.
   b) Varsågod.
   c) Tycker du?
   d) Måste jag det?
   e) Nej, varsågod.
   f) Åh, gratulerar.
   g) Ja, det är det verkligen.
   h) Javisst, den står i hallen.
   i) Nej tack. Det är bra så.
   j) Ta en magnecyl! Jag har ett paket här.
   k) Javisst. Vad då?
   l) Lycka till!

92. James Bond

Vi har en papegoja, som heter James Bond.
Han kan tala flera språk.

"How do you do!" säger han, när han träffar
nya människor. "Vielen Dank!" säger han, när han
får mat. "Je vous aime!" säger han till alla unga damer.
När man frågar "Hur mår du?", svarar han "Dobre,
dobre!". När vi går hemifrån, säger han "Sayonara!".
När vi är borta länge, sitter han och surar och är alldeles
tyst. Men när vi kommer hem igen, säger han "Tervetuloa!".
Det är finska och betyder "välkommen!".

Vad betyder de andra uttrycken? Vet ni det?

93. Kassettboken

Nu behöver man inte längre läsa böcker.
Man kan lyssna på en bok i stället. Det finns
många böcker som är inlästa på band. Det är
bra för personer med nedsatt syn. Men man
vänder sig också till andra personer. Så här
stod det i en annons för kassettböcker, som
vi såg i en tidning häromveckan:

Lyssna på en bok,
när du kör bil,
när du joggar,
när du promenerar,
när du solar,
när du vilar dig,
när du står vid löpande bandet!

Kan du komma på några andra situationer,
när man kan lyssna på en bok?

§ BISATSORDFÖLJD					
1 **Subjunktion**	**2** **Subjekt**	**3** **(Satsadverb)**	**4** **Verb**	**5** **Annat**	Subjektet står alltid före verbet i bisats!
när	han	–	får	mat	
när	han	–	träffar	nya människor	
när	vi	–	är	borta	
när	du	–	vilar	dig	

⚠ 94. Jag har precis gjort ...

Det här är herr och fru Gustavsson. Fru Gustavsson är inte glad. Hon har varit borta på en veckas semester och herr Gustavsson har inte vattnat blommorna. Han har inte diskat kastrullerna och han har glömt att lämna in tipset. "Vad har du gjort hela veckan?" skriker hon. Herr Gustavsson svarar: "Jag har haft det lugnt och skönt. Jag har kopplat av. Jag har träffat gamla kompisar och tittat på teve och läst tidningar. Tiden har gått så fort!"

Det här är Kenta. Han har precis kommit till Stockholms central. Han har åkt tåg i fem timmar och han är jättearg. Han har nämligen glömt nycklarna till lägenheten i Stockholm hos en god vän i Malmö. Han har ringt till vännen, men ingen svarar.

Det här är Sigurd. Han ska ut och resa. Hans mamma frågar honom: "Har du packat ner allting? Har du växlat pengar? Har du kontrollerat alla tider? Har du skrivit ner din adress? Har du fått med dig alla dina papper? Har du köpt alla biljetter?" – "Ja, mamma" suckar han. "Det är faktiskt inte första gången som jag reser."

Det här är Gudrun. Hon sitter vid skrivbordet och skriver i en dagbok.
"Kära Dagbok!
Idag har jag varit duktig. Jag har skrivit tre brev, jag har ringt tre firmor och sökt jobb. Jag har städat, jag har tvättat håret, jag har lyssnat på 'Vetandets värld' och lärt mig nya saker om svensk språkhistoria. Och så har jag träffat en jättegullig kille i cafeterian. Jag ska dit imorgon igen!"

Det här är Pernilla. Hon har precis ringt och gjort slut med Johan. De har varit tillsammans i två månader, men nu har hon träffat en annan, som går i sista klassen på gymnasiet. Hon ser lite blek ut. Hon har inte mått bra sista veckan.

Det här är Pontus. Ikväll ska han ha en fest. Han har handlat för flera hundra kronor. Han har inte köpt så mycket vin. Det får gästerna göra. Han känner sig redan ganska trött. Han har städat i flera timmar. Han har lånat några extra stolar av grannarna och han har dukat. Nu står han framför spegeln och knyter slipsen. Håret är fortfarande blött för han har precis duschat.

§ PERFEKT

har + … **t**	
har + … **tt**	(efter betonad vokal)
har + … **it**	(starka verb)

Formen som slutar på **-t** kallas för **supinum**.

Pontus har precis handlat.	Dvs. idag, och resultatet kan man se: alla varor.
Han har tvättat håret.	Man kan se resultatet: Håret är blött/rent.
Gudrun har städat.	Resultat: Lägenheten är ren och fin.
Han har köpt mat.	Man ser: Han har en kasse med mat i handen.
Hon har gjort slut.	Därför är hon deprimerad.
Pernilla har mått dåligt.	Därför ser hon blek ut.
Jag har inte ätit.	Resultat: Jag är hungrig.

Man är intresserad av **resultatet** och **inte** av **tiden**. Man **nämner inte tiden**.
Perfekt är ett **presenstempus** – har badat – resultatet **finns/syns/märks nu**.

Hitta någon som …

har duschat idag	har lyssnat på radio idag	lånar	skriver	dricker
har druckit kaffe idag	har ätit en ostsmörgås idag	träffar	kommer	
har talat i telefon idag	har fått ett brev idag	läser	äter	
har cyklat idag	har åkt buss idag			
har tvättat håret idag	har studerat svenska idag			

  Fråga dina kamrater och skriv upp vem som gjort vad!

 JAG HAR BOTT VID EN LANDSVÄG
Musik: Alvar Kraft
Text: Ch Henry

Kan du skriva **supinumformen** till följande verb? Några former står i texten. Andra får du slå upp i en ordbok, men du kan också fråga läraren förstås!

handlar	röker	lär
köper	mår	glömmer
städar	bor	går

Jag har bott vid en landsväg i hela mitt liv
och sett människor komma och gå,
jag sett skördarna gro på min torva i ro,
medan storkarna redde sitt bo.
Jag sett vårarna gry, jag hört höststormar gny,
jag sett vildgässens sträck under kvällande sky.
Jag har bott vid en landsväg i hela mitt liv
och sett människor komma och gå.

95. Lilla Linnea

Lilla Linnea föddes den 14 september förra året. Då vägde hon bara 3,2 kilo och var liten som en docka. Nu har det gått sju månader och hon väger 8 kilo och har fått två tänder. Hon kan både sitta och jollra, men hon har inte lärt sig säga några ord än.

Lilla Linnea har förändrat allting hemma. När hon vaknar måste jag stiga upp med en gång och sätta på välling. När hon har ätit och är mätt måste vi vänta tills hon rapar. Sedan lägger jag henne på en filt mitt på golvet, och medan hon ligger där och leker med fingrarna eller biter på alla leksaker sitter jag och försöker göra läxorna. Jag försöker nämligen läsa en kurs i redovisning.

Sedan måste jag byta på henne och när jag har gjort det, klär jag på henne och lägger henne i barnvagnen och så går vi ut och handlar. När vi kommer hem är hon trött och vill sova, och när hon har somnat kan jag passa på att tvätta eller städa eller ringa viktiga samtal.

När hon vaknar igen leker jag med henne eller sjunger för henne, och medan jag lagar mat sitter hon i en barnstol och berättar långa historier för mig. "BLLPÄÄMM PLBUDD-LLÄÄ GANGAMMA". Så låter det ungefär.

Klockan fem ringer det. Det är Lennart. "Hej älskling! Ledsen hör du du", säger han, "men jag blir sen ikväll. Vi måste ha rapporten färdig idag. Men imorgon kommer jag hem tidigt och tar hand om Lillan!"

"Det gör ingenting!" skriker jag, för Linnea har också vaknat och ligger och skriker. "Stanna du! Linnea och jag har det så trevligt tillsammans!"

 Skriv ner alla perfektuttryck och diskutera varför man använder perfekt just där!

 BÄR NER MIG TILL SJÖN
Melodi: Bei mir bist du schön.
Text: Jacob Jacobs
Musik: Sholom Secunda

./. Bär ner mig till sjön!
Bär ner mig till sjön!
Jag känner att jag måste i ./.

Och när jag doppat mig
så får du torka mig.
Och när du torkat mig
så vill jag i igen!

Bär ner mig till sjön! osv.

§ OLIKA ANVÄNDNINGAR AV PERFEKT	
Nu har det gått sju månader.	fram till nu
Lilla Linnea har förändrat allt hemma.	ett faktum, tiden ointressant
När hon har ätit, måste jag byta på henne.	händer varje dag, det kan också vara framtid
När hon har somnat, kan jag göra något annat.	varje dag eller också framtid
Linnea har också vaknat.	just precis nu, resultat: hon är vaken

96. I blåbärsskogen

Några mil utanför Härnösand. En Volvo kör sakta längs en stor skog. Det är familjen Hallberg: far, mor och barnen Helena och Johan. De tänker plocka bär. De ser en smal väg som går in i skogen. De kör in där, parkerar och stiger ur. De hittar en liten stig och följer den.

Far: Här har jag aldrig varit förut. Finns det gott om bär här, tror ni?

Helena: Där borta växer det blåbär, ser jag!

Mor: Nej, det har varit folk här och plockat före oss. Titta, det finns nästan ingenting kvar!

Far: Vi delar på oss och letar!

Helena och hennes mamma går åt ett håll, Johan och hans pappa åt ett annat.

Helena: Nu har vi gått här i två timmar! Hur mycket har vi plockat?

Mor: Fyra liter kanske.

Helena: Har du smakat på bären? De smakar lite vattnigt, tycker du inte?

Mor: Jo. Det har nog regnat lite för mycket.

Helena: Men varför finns det inga lingon?

Mor: De har nog inte mognat än. … Nej, nu måste vi gå tillbaka till bilen!

Vid bilen träffar de far och son, som har väntat där ett tag.

Mor: Har ni hittat några bär?

Far: Jodå, men jag har plockat en massa svamp också.

Mor: Johan då? Har du bara ätit blåbär, du?

Johan: Hur vet du det?

Mor: Det ser man väl! Du är ju alldeles blå om munnen!

Far: Men nu är jag jättehungrig! Vi har ju varit ute i skogen i flera timmar. Var har vi maten?

Mor: Maten? Å, jösses! Vi har glömt maten hemma! Jag glömde packa ner den i bilen!

Far: Jaha, då får vi väl äta blåbär till lunch.

Johan: Usch! Jag har redan ätit så jag mår illa!

 Vad kan man se eller märka för resultat av perfektuttrycken?

Exempel: Han har smakat på bären.
Han är blå om munnen.

Det har regnat.
De har plockat mycket bär.
Vi har glömt maten hemma!
Någon har varit här och plockat!
Jag har ätit för mycket!
Vi har varit ute och gått i flera timmar.
Det har gått många här!

97. Allemansrätten

I Sverige får man promenera i skog och mark, man får plocka bär och svamp (var försiktig bara – det finns giftiga svampar) och blommor (om de inte är fridlysta).

Man får tälta en natt på andras marker utan tillstånd men inte på någons tomt, förstås.

Man får göra upp eld (om det inte finns risk för brand).

Hela tiden måste man tänka på vad man gör: Man får inte skada naturen och skrämma djur etc. Och naturligtvis plockar man upp efter sig, när man har tältat eller slagit läger någonstans.

Den här rätten, att få gå i stort sett var man vill i naturen, kallar vi för Allemansrätten, och den är vi mycket stolta över! Den är ganska unik i världen.

 # 98. Mitt vardagsrum – En dagbok

Jag städar inte så ofta. Jag hatar att städa. Men jag bor ensam, så ingen klagar. Ibland får jag förstås gäster, men då brukar jag försöka städa undan lite grand … Efter en vecka eller två utan städning ser mitt rum ut så här ungefär:

Där finns fulla askkoppar, vinglas, kläder, tidningar, brev, räkningar, pappersnäsdukar, smutsiga strumpor, tallrikar med matrester, kaffekoppar, tomma ölburkar och förstås en och annan dammtuss!

 Så vad har jag gjort under veckan? Och vad har jag inte gjort? Skriv några förslag!

Ta reda på vem eller vilka som har …!

… läst *Krig och fred*
… sett *Borta med vinden*
… hört Beethovens femte symfoni
… varit i Paris
… skrivit en insändare till en tidning
… varit med i ett teveprogram
… flugit
… talat med en känd person
… färgat håret
… skrivit en dikt

Tiden är inte viktig. Man vill bara veta en sak: har du gjort det eller ej.

När du gjorde det är inte så intressant.

… varit på bio nyligen
… klippt sig nyligen
… skrivit brev nyligen
… köpt nya kläder nyligen
… varit på biblioteket nyligen
… fyllt år nyligen
… besökt släktingar nyligen
… flyttat nyligen
… läst en bok nyligen
… fått blommor nyligen

Här handlar det om saker som man har gjort nyligen. Ofta är det saker, som man gör lite då och då.

Vilken exakt tidpunkt man gjorde det är inte intressant.

… druckit kaffe idag
… ätit frukost idag
… lyssnat på nyheterna idag
… tvättat håret idag
… fått brev idag
… läst tidningen idag
… skickat brev idag
… pratat med en granne idag
… åkt buss idag
… sett en katt idag

Här vill vi veta saker som man gör mer eller mindre varje dag.
Har du gjort det idag? är frågan.

Perfekt är alltså ofta ett presenstempus.

Igår, idag och imorgon

Vad gjorde du	Vad har du gjort	Vad ska du göra
igår?		i morgon ?
i förrgår?	idag?	i övermorgon?
förra veckan?	den här veckan?	nästa vecka?
i våras?	den här månaden?	i vår?
i somras?	i år?	i sommar?
i höstas?		i höst?
i vintras?		i vinter?
i julas?		i jul?
i påskas?		i påsk?
i midsomras?		i midsommar?
förra året / i fjol?		nästa år?

 Fråga din granne till vänster,
vad han/hon gjorde
i morse
i förrgår
i julas
i våras!

 Fråga någon annan vad han/hon har
gjort
idag
den här veckan etc.

 Fråga din granne till höger,
vad han/hon ska göra
i morgon bitti
i övermorgon
i vår
i jul!

 Redovisa resultaten!

Rätt verbform!

  Diskutera varför man ibland kan tänka sig flera svar!

säger	Det har jag aldrig … !	tar	Hon … min kärlek och försvann!
tror	Hon har aldrig … på tomten.	skriver	Hur många brev … du förra veckan?
gör	Vad … du igår?	är	Har du … i Paris?
slår	Har klockan … tolv ännu?	står	Det … i tidningen i förrgår.
får	När … du den?	flyger	De … till Rom igår.
sitter	Vem har … på min stol?	ger	Han … henne en bukett rosor.
ligger	Vem har … i min säng?	lever	Hon … på 1700-talet.
stjäl	Någon har … min plånbok!	dör	Han … 1968.
ligger	Igår … jag hela dagen.	stiger	När … du upp i morse?
får	Den här sjalen har jag … av min man.	ser	Har du …*Borta med vinden*?
äter	Har du … middag ännu?	säger	Jag hörde inte vad han … .
är	Var … du för en timme sedan?	slår	Det var natt. Kyrkklockan … tolv.
lägger	När … du dig igår?	äter	Jag … en underbar middag igår.
ställer	Har du … in smöret i kylen?	flyger	Hur många gånger har du … ?
gör	De har inte … läxorna!	tar	Vem har … min penna?
vet	Det har jag … hela tiden.	står	Jag har … och väntat i en halvtimme.
kommer	Har posten … ?		
ser	… du filmen på teve igår?		
har	Har du … mässling?		

Efter jullovet

 Skriv ner alla preteritum-
och perfektuttryck!

 Diskutera varför man använder
dem där!

A: Vad har du gjort på jullovet?

B: Jag har inte gjort något särskilt. Vi har
förstås ätit gott och hälsat på släkt och
vänner och så har vi haft folk hemma hos
oss också.

A: Har ni sett några bra filmer?

B: Ja, vi såg faktiskt en i förra veckan.
Änglagård heter den. Har ni sett den?

A: Nej, men vi har tänkt gå och se den. Var
den bra?

B: Ja, vi tyckte om den båda två.

A: Har du hunnit läsa något?

B: Ja, faktiskt. Jag fick *En svensklärares dagbok*
i julklapp och den sträckläste jag. Och
själv, då?

A: Jo, jag har läst flera böcker – jag kände
mig lite dålig i mellandagarna, och då
stannade jag i sängen några dagar och
läste.

B: Har du gjort något arbete?

A: Nej. Jag hade stora planer, men du vet
hur det är. Jag började lite efter nyår, men
jag hann inte så långt. Förresten, ringde
Eva till dig? Hon sa, att hon skulle göra
det.

B: Nej, det gjorde hon faktiskt inte. Men
det kanske var upptaget. Båda ungarna
var ju hemma, och de satt i telefon mest
hela dagarna, när de inte tittade på video
förstås!

A: Ja, teve, ja. Vi har ju fått kabelteve
och våra barn tittade tills ögonen blev
fyrkantiga under julen. Men vi tyckte att
det var lika bra att de fick titta så mycket
de orkar. Då tröttnar de nog snabbare.
Tror inte du det?

B: Jo, säkert. Men hörrudu. Det var trevligt
att träffas. Hälsa Lasse och trevlig
fortsättning.

A: Ja, detsamma.

99. På järnvägsstationen

Urban: Nej, men står du här?

Fredrik: Ja, jag väntar på min brorsa. Jag har inte träffat honom på länge. Han bor i Luleå.

Urban: Jaså. Ja, jag står och väntar på mitt tåg. Jag har väntat i en timme snart, men det skulle visst komma om några minuter…

Fredrik: Vad gör du nuförtiden då? Jag har inte sett dig på flera år.

Urban: Nej, tiden går. Är du gift med Agneta fortfarande?

Fredrik: Ja, vi har faktiskt varit gifta i fem år nu.

Urban: Menar du det? Ja, jag arbetar fortfarande på Posten. Jag har väl varit där i tio år snart.

Fredrik: Är Bertil kvar där?

Urban: Nej, han slutade för flera år sedan. Och jag vet inte… jag kanske slutar själv om något år eller så. Jag börjar bli lite trött på jobbet. Och du själv?

Fredrik: Jag … har startat en egen liten firma. Jag importerar datautrustning.

Urban: Ojdå. Då tjänar du massor med pengar, förstår jag.

Fredrik: Nej, jag kommer inte att tjäna stora pengar på länge. Det tar flera år att etablera sig. Men om några år så …

Urban: Förresten … jag var i Rom i höstas och träffade Tommy. Kommer du ihåg honom?

Fredrik: Jovisst. Han har bott där i flera år, eller hur?

Urban: Jo. Men han tänker flytta hem om några månader. Hans fru längtar hem till Sverige.

Fredrik: Hur kan man längta hem från Rom? Jag har inte varit där på ett tag, men jag skulle gärna vilja åka dit snart.

Urban: Men nu kommer visst mitt tåg. Det var kul att träffas. Vi ses kanske om några år igen. Hälsa alla!

Erik: Ja, det ska jag göra.

 Skriv fortsättningen på meningarna!

Ska vi gå på bio ikväll? *Ja, gärna. Jag har inte …*
Varför var hon så arg? *Jo, jag har inte …*
När träffade du honom? *Jag träffade honom …*
Har du skrivit till moster Agnes nyligen? *Nej, …*
Har du bott här länge? *Jag har …*
Blir du färdig snart? *Jag är klar …*
Har du väntat länge? *Ja, jag har …*
När åker vi? *Vi …*
När var du där senast? *Jag var där …*

---

§ **TIDSPREPOSITIONER**

Jag har **inte** träffat honom **på** länge.
Jag har väntat **i** en timme snart.
Det skulle visst komma **om** någon kvart.
Han slutade **för** flera år **sedan**.

På hur länge har man **inte** gjort något?
Hur länge? Hur lång period?
När kommer tåget?
Hur länge sedan var det?

127

100. Vad säger han?

Min mormor hör dåligt, men hon vägrar att använda hörapparat. Därför måste jag hjälpa henne ibland, och det är inte så lätt, för hon är tyvärr mycket misstänksam mot allt och alla. Häromdagen var vi på stationen och köpte biljetter åt henne. Vi står vid luckan. På andra sidan sitter en ung man, som jag känner lite.

Försäljaren: Ja, vad kan jag stå till tjänst med?

Mormor: Vad säger han?

Jag: Han frågar vad han kan stå till tjänst med.

Mormor: Jag vill ha en tur-och-returbiljett med femtåget.

Försäljaren: Men vart ska damen åka?

Mormor: Vad säger han?

Jag: Han frågar vart du ska åka.

Mormor: Hit, så klart!

Jag: Nej, han vill veta vart du ska åka härifrån!

Mormor: Till Åmål, har jag ju sagt.

Försäljaren: Andra klass, icke rökare?

Mormor: Vad säger han?

Jag: Han undrar om du vill sitta i andra klass. Ja, icke rökare.

Mormor: Vad sa du?

Jag: Jag talade om att du inte röker.

Försäljaren: Det blir 216 kr, inklusive sittplatsbiljett.

Mormor: Vad säger han?

Jag: Han säger att det kostar 216 kr.

Mormor: Så mycket?

Jag: Du måste köpa sittplatsbiljett också.

Mormor: Är det nödvändigt?

Jag: Det ingår i de där 216 kronorna, sa han.

Mormor: Jaha. Varsågod, här är 250 kr. Förresten är jag pensionär.

Försäljaren: Ja, jag förstår det. Det här priset är med pensionärsrabatt.

Mormor: Vad säger han nu?

Jag: Han säger att han förstod, att du är pensionär. Han har redan dragit av rabatten.

Försäljaren: Har damen pensionärskortet med?

Mormor: Va?

Försäljaren: Äsch, det spelar ingen roll förresten!

Mormor: Vad säger han?

Jag: Han säger att det inte spelar någon roll. Betala du bara!

Mormor: Jaha ja, varsågod. Tack. Förresten, jag åker väl framlänges? Jag tål inte att åka baklänges i tåg.

Försäljaren: Å, det vet jag inte. Får jag låna biljetten igen, så ska jag kolla.

Mormor: Vad säger han?

Jag: Han säger att han inte vet. Han ber att få titta på din biljett igen.

Försäljaren: Nej, tyvärr, men om ni väntar ett ögonblick, så ska jag skriva ut en ny.

Mormor: Vad säger han?

Jag: Han säger att vi ska vänta lite, så skriver han ut en ny biljett.

Försäljaren *(med låg röst, utan att titta upp)*: Gamla människor kan verkligen vara besvärliga!

Mormor: Åja, vänta bara. Ni blir nog gamla själva en vacker dag!

Tänk, att det hörde hon!

128

§ BISATSER / INDIREKT TAL

(underordnade anföringssatser och frågesatser)

Subj	Anförings-verb	Subjunktion/ Frågeord	Subj	Sats-adverb	Verb	
	säger	att	det	–	kostar	216 kr.
	säger	att	han	inte	vet.	
	tror	att	jag	inte	vill	komma.
Han	undrar	var	du	–	bor.	
	frågar	vart	du	–	ska	åka.
	undrar	om	du	–	vill	sitta i andra klass.
	frågar	om	hon	inte	har	tid i kväll.
	vill veta	när	affären	–	öppnar.	

Subjunktioner kallas ibland för **bisatsord** eller **bisatsinledare**.
Frågeordet är också en **bisatsinledare**. De inleder alltså **bisatsen**.

	1	2	3	4	5
Ordföljden i en **bisats** är alltid densamma:	bisatsord	subjekt	satsadverb	verb	+ resten
Jämför med ordföljden i **huvudsats:**	fundament	verb	subjekt	satsadverb	+ resten

Problemet för många är att satsadverbet kommer före första verbet i bisatser.

Satsadverbet är ofta "**inte**".
I **b**isatser kommer **i**nte **f**öre **f**örsta verbet (**biff**-regeln).

129

101. Vad skriver de?

A: Titta! Vi har fått brev från Sture!

B: Vad skriver han? Kan du inte läsa?

A: Jo, han skriver att han varit och hälsat på Doris. Och sedan säger han att han kanske kommer hit i påsk.

B: Kan du inte skriva till honom och säga att jag inte har tid i påsk.

A: Det kan man väl inte skriva. Men han är ju inte säker på om han får tid. Han ska visst hjälpa till på gården också ... Men han frågar om vi inte kan komma till midsommar. Det kan väl bli trevligt?

B: Okej. Skriv att vi kommer, om det inte händer något på jobbet!

C: Jag fick ett brev från Ylva idag.

D: Vad skrev hon då?

C: Hon skrev att hon skulle ta tjänstledigt.

D: Jaså. Varför det?

C: Hon sa att hon skulle läsa en kurs i svenska som främmande språk på universitetet.

D: Är hon inte för gammal för det?

C: Du vet väl att det aldrig är för sent att lära ...

102. Ett brev från Anna-Karin i Malmö

Malmö i april.

Hej Malin!

Och tack för brevet, som vi fick förra veckan. Det var verkligen roligt att höra ifrån dig. Vi mår bra alla tre! Ja, vi har fått tillökning i familjen. Vi har adopterat en liten flicka från Bangladesh. Linda heter hon och hon fyller tre år nästa vecka. Jag skickar ett foto på henne. Visst är hon söt?

Det var roligt att höra att du tänker komma hit i sommar. Du är naturligtvis välkommen att bo hos oss, om du vill.

Mamma och pappa mår bra, fast pappa har lite ont i lederna. Men det är åldern förstås. Snart är man väl själv där!

Du frågar om skatter, kriminalitet och så vidare, och jag vet inte vad jag ska svara. Vi har ju fått ett nytt skattesystem — vi kommer att betala nästan enbart kommunalskatt — och jag tror att det blir bättre för oss. Och alla brott, ja dem läser man ju mest om. Hittills har vi klarat oss, peppar, peppar...

Miljön är förstås viktig, och både Olof och jag har bestämt att vi ska bli medlemmar i Greenpeace och vi funderar på att rösta på Miljöpartiet i nästa val.

Men det där får vi väl tala mer om, när du kommer hit. Hälsa Alan och barnen så mycket. Olof undrar förresten om Alan är kvar på samma jobb. Han skulle behöva köpa ett nytt program till datorn. Men han ringer om det senare.

En stor kram från

Anna-Karin, Olof och Linda

Hur såg brevet ut, som Anna-Karin hade fått från Malin, tror du?
Skriv ett förslag!

103. I informationen

Ulrika sitter i informationen på ett stort varuhus i Stockholm. Vi ställer några frågor till henne.

Vi: Vad frågar kunderna om?

U: De frågar förstås var olika avdelningar ligger, var man kan köpa det och det, var man kan byta varor, när vi stänger och när vi öppnar.

Vi: Och mera?

U: De vill veta om vi har öppet på söndagar, om vi har olika varor, om jag kan växla pengar ...

Vi: Har ni många utländska kunder?

U: O ja! Vi som sitter här måste kunna flera språk.

Vi: Vad frågar de om då?

U: Samma frågor som svenskarna, men de vill också ha reda på om man kan köpa momsfritt, och om vi kan skicka varorna ...

Vi: Tack ska du ha. Nu ska vi inte störa längre. Men du kanske kan tala om för oss hur vi kommer ut!

 Ändra från direkt till indirekt!
Exempel: Agnes undrar när kursen börjar.

Anna:	När börjar kursen?
Benny:	Kommer Björn på tisdag?
Charlotta:	Jag tycker inte om öl.
Daniel:	Hur mycket är klockan?
Emma:	Varför är himlen blå?
Folke:	Varför startar inte bilen?
Gunnel:	Var är mina nycklar?
Håkan:	Får jag röka?
Ida:	Jag tror på sommaren!
Jonny:	Spelar Torsten fotboll?
Karolina:	Jag läser aldrig böcker.
Linus:	Mormor tycker inte om teve.
Madeleine:	När kommer tåget?
Niklas:	Hur går man till Centralen?
Olga:	Frågan är för svår.
Patrik:	Vad heter utrikesministern?
Rita:	Var ligger Systemet?
Staffan:	Hissen är alltid trasig!
Tina:	Kan jag få gå ut?
Ulf:	Hur blir vädret i morgon?
Viktoria:	Jag ska bli drottning!
Yngve:	Är Kiruna världens största stad?
Åsa:	När slutar filmen?
Örjan:	Är övningen inte färdig snart?

104. Hur går man?

– Hej! Vet du om det finns någon pressbyråkiosk här i närheten?
– Ja. Gå den här gatan rakt fram och ta till vänster vid trafikljusen, så ligger det en kiosk runt hörnet.
– Tack ska du ha.

– Ursäkta, vet du var det finns någon post här omkring?
– Ja, det ligger en på den här gatan, faktiskt. Om du går rakt fram ... tre, fyra tvärgator så där, så ligger den på höger sida.
– Tack så mycket.

– Förlåt, vet ni var Kyrkvägen ligger?
– Ja, det är andra tvärgatan till vänster.
– Tackar så mycket.

– Hej. Vet du hur man kommer till järnvägsstationen?
– Ja, ni går ... tredje tvärgatan till höger ... så ser ni stationen rakt framför er.
– Tack ska du ha!

– Ursäkta. Vet du var Kungsgatan ligger? Jag hittar inte här i stan.
– Kungsgatan? Ja, du får gå över bron därborta och där börjar Kungsgatan.
– Tack då.

– Hej, vet ni hur man kommer till det nya köpcentret?
– Ja. Ni får ta buss nummer ... 125 är det väl. Det finns en hållplats alldeles runt hörnet.

– Vet ni hur ofta den går?
– Nej, men den går ganska ofta, tror jag. Var tionde minut eller så. Men titta på tidtabellen. Om den finns kvar ...
– Tack så mycket.

– Bor du här?
– Ja.
– Då kanske du vet var Lingonvägen 22 ligger?
– Ja. Om du går in på gården och sedan till höger, så ser du ett stort gult hus. Det är Lingonvägen 20. Om man ska till 22:an så måste man gå bakom det huset. Det är faktiskt svårt att hitta, om man inte vet var det ligger.
– Ja, jag förstår det. Jag har letat i tio minuter ... Men tack så mycket!

FRASER
till vänster
till höger
rakt fram
runt hörnet
Var ligger?
Hur går man?
Hur kommer man till
i närheten
här omkring
hittar inte

Ingen – inte någon

Ingen eller **inte någon** betyder samma sak.

Man använder ofta **ingen** i *huvudsats* och om det finns *ett* verb.
Finns det *två* verb eller fler måste man använda **inte någon**. (Se stycket 76.)

I *bisats* måste man alltid använda **inte någon**, för **inte** måste ju stå *före* första verbet (biff-regeln).

Exempel: Hon har ingen telefon.
                      huvudsats

Hon säger att hon inte har någon telefon.
                                    bisats

Förvandla direkt tal till indirekt!

1. Jag har ingen mjölk hemma.
    Hon säger att hon inte …

2. Jag har ingen lust att gå på bio.
3. Jag har inget smör hemma.
4. Jag har inga kläder att ta på mig!
5. Jag har ingen lust att gå med.
6. Jag känner inga i Stockholm.
7. Jag har inga cigarretter kvar.
8. Jag har inget behov av pengar.
9. Jag har inga problem just nu.
10. Jag har inga syskon.
11. Jag har inget pass.
12. Jag behöver ingen advokat.
13. Jag tjänar inga pengar på att undervisa.
14. Jag säger inget!
15. Jag får inget bidrag.
16. Vi har inga barn.
17. Vi har ingen lektion idag.
18. Vi behöver inget paraply.
19. Det finns inget intressant på teve.
20. Det står inget pris i annonsen.

105. Därför att ...

Läraren:	Varför kom du inte till skolan igår?
Eleven:	Därför att jag var sjuk.
Läraren:	Men varför ringde du inte och berättade det?
Eleven:	Därför att telefonen inte fungerade.
Läraren:	Jaså. Men varför kommer du för sent nu?
Eleven:	Därför att bussen inte kom i tid.
Läraren:	Och varför gick du inte lite tidigare hemifrån?
Eleven:	Därför att jag vaknade så sent.
Läraren:	Varför vaknade du så sent?
Eleven:	Därför att väckarklockan inte ringde.

Läraren:	Och varför ringde inte den, då?
Eleven:	Därför att batteriet var slut.
Läraren:	Men du har gjort läxan till idag, hoppas jag.
Eleven:	Nej.
Läraren:	Varför inte det, då?
Eleven:	Därför att jag inte förstod den.

Skriv svar till frågorna! Använd konstruktionen "Därför att ..."!

Exempel:
Varför kom du inte till skolan igår?........./ sjuk /
Därför att jag var sjuk igår.

Varför är du så trött? .... / inte / sovit / i natt /

Varför är du så arg? .... / grälade / med / min fru / i morse

Varför flyttar du inte? .... / hyran / låg /

Varför går inte klockan? .... / batteriet / slut /

Varför skrattar du? .... / roligt /

Varför skiljer hon sig inte? .... / barnen / små /

Varför gråter du? .... / sorgligt /

Varför ler du? .... / tänker / på / en sak /

Varför får du inte komma med? .... / sent /

Varför fryser du? .... / mår / inte / bra

Varför skakar du på huvudet? .... / tror / inte / dig /

Varför skrattar du inte? .... / inte / roligt /

Varför vill du inte komma med? .... / ingen / lust /

Varför kommer du för sent? .... / bussen / inte / kom /

Varför kan du inte somna? .... / varmt /

Varför vill du byta kurs? .... / för / svårt /

106. Vad hade han gjort?

Häromdagen såg jag en annons i en tidning. Det var något slags reklam för tvättmedel, tror jag.

Det var en bild, som föreställde en man som hade varit ute hela natten. På kläderna kunde man se fläckar, och i ena handen höll han en blombukett med vissna blommor.

Vad hade han gjort? Det skulle jag gärna vilja veta!

Kanske ni kan hjälpa mig?

På kragen fanns det en svart fläck. Han hade kanske ...

På skjortan fanns det märken av läppstift. Någon hade kanske ...

Det fanns en oljefläck på skjortan också.

Han hade en ljus kostym, och på ena kavajärmen fanns det en ketchupfläck.

På andra ärmen såg man en vinfläck. På ena byxbenet hade han en fläck från en sorts brun sås och knäna hade gräsfläckar.

Längst ner på ena byxbenet hade han rester av skokräm.

Han hade ett blått öga och han såg fruktansvärt trött ut.

Verb som ni kanske behöver:

drick –er	sov –er
kryp –er	spill –er
kyss –er	tappa –r
putsa –r	vänta –r
ramla –r	ät –er
reparera –r	

§ PLUSKVAMPERFEKT
hade + supinum

Pluskvamperfekt använder man ofta för att berätta vad man **hade** gjort före en viss tidpunkt i förfluten tid.

Exempel:

Häromdagen mötte jag Rutger. Han **hade** precis köpt en ny bil.
– Hej, Rutger, har du en ny bil?　　　　– Ja, jag **har** just köpt den!

Igår träffade jag Astrid. Hon **hade** sett en jättebra film, sade hon.
– Hej, Astrid. Vad du ser glad ut!　　　– Ja, jag **har** sett en jättebra film!

Förra veckan pratade jag med Siri. Hon **hade** just kommit hem från Grekland.
– Men Siri, vad brun du är!　　　　　– Ja, jag **har** varit i Grekland.
　　　　　　　　　　　　　　　　　　Jag **har** precis kommit hem!

En dag på dagis

 Lyssna på texten och svara på frågorna!

1. Var jobbar Annette?
2. Hur trivs hon?
3. Leker hon med barnen hela dagen?
4. När började hon idag?
5. Hur länge hade daghemmet varit öppet då?
6. Hur många barn var redan där?
7. När åt de frukost?
8. Varför äter inte barnen hemma?
9. Hur mycket hade hon ätit hemma?
10. Vad gjorde hon efter frukosten?
11. Vad gjorde de sedan?
12. Varför tar det så lång tid att gå ut?
13. Vad gjorde hon och två andra ur personalen?
14. Vad pratade de om igår på samlingen?
15. Vad övade de?
16. Vad gjorde de spanska och iranska barnen?
17. Fanns det barn kvar på dagiset när hon slutade igår?
18. Vad gjorde hon sedan?

	innan jag kom?	När jag kom **hade** alla redan ätit.
Vad hade hänt	innan hon kom fram?	När hon kom fram **hade** tåget redan gått.
	innan han ringde?	När han ringde **hade** hon ...

 Fortsätt själv!

När de kom fram ...   När han besökte honom ...   När vi tog vår examen ...

När jag träffade henne ...   När brevet kom ...

Vad gjorde de sedan?	När jag **hade** diska**t drack** jag en kopp kaffe.
	När jag **hade** läs**t** ut boken **gick** jag och **lade** mig.

 Fortsätt själv!

När hon hade tagit sin examen ...   När de hade ätit ...

När han hade kommit fram ...   När jag hade gjort läxan ...

---

§ TEMPUSKONGRUENS   HUVUDSATS + BISATS

Samma tempus i båda satserna betyder att två saker händer **samtidigt** eller **direkt efter** varandra.

Exempel: När jag komm**er** hem byt**er** jag kläder.   (presens i båda satserna)

Jag fotografera**de** Birgit när hon simma**de**.   (preteritum i båda satserna)

Om huvudsatsen har **presens** och bisatsen **perfektum**,

eller om huvudsatsen har **preteritum** och bisatsen **pluskvamperfektum**,

betyder det, att den ena handlingen är **slut**, när den andra börjar.

Exempel: Jag borstar tänderna när jag har ätit.   (Först äter jag. Sedan borstar jag tänderna.)

Jag borstade tänderna när jag hade ätit.   (Först åt jag. Sedan borstade jag tänderna.)

Observera att huvudsatsen och bisatsen oftast har samma tid, dvs. nutid eller dåtid.

Exempel: Hon säg**er** att hon må**r** bra.(nutid)   Hon sa**de** att hon må**dde** bra. (dåtid)

Han säg**er** att han ha**r** varit i Paris.(nu)   Han sa**de** att han ha**de** varit i Paris. (då)

107. Vad tror du?

Några dialoger på stan

1
– Vem tror du vinner imorgon?
– Ingen aning. Vem tror du?
– AIK, så klart!

2
– Vad tror du att han kommer att säga?
– Jag vet inte alls. Vad tror du?
– Jag vet inte heller, men jag är lite orolig.

3
– Hur går det på mötet, tror du?
– Jag vet inte, men jag hoppas att vårt förslag vinner.
– Ja, vi får väl se imorgon.

4
– Jag tror inte att han vill komma på festen.
– Varför tror du inte det?
– Jag är inte säker, men han verkar inte så intresserad.

5
– Va, är du här? Jag trodde du låg hemma och var sjuk.
– Nej, jag var bara lite trött imorse och orkade inte gå till jobbet.

6
– Innan jag kom till England, trodde jag att alla engelsmän gick omkring i plommonstop och läste Times.
– Gör de inte det, då?
– Nej, inte alls.

7
– Tror du att det kommer att regna imorgon?
– Hur skulle jag veta det? Lyssna på väderleksrapporten!

108. Vad tycker du?

Dagen efter diskot diskuterar Johanna och Maja vad de tyckte om stället, musiken, killarna osv.

M: Vad tyckte du om Ola?
 J: Han var ganska gullig, tyckte jag.
M: Jag tyckte att han hade en häftig ring i örat.
 J: Ja, och han går så ballt också.
M: Jag tyckte hans hår doftade så gott.

 Undrar, vad han har i det ...
 J: Vad tyckte du om min kille, då?
M: Jo, då, han var väl okej. Men han hade glasögon.
 J: Det är väl inget fel med det. Det tycker inte jag i alla fall.
M: Nej, nej. Men jag tycker att de är i vägen, när man ska kyssas.
 J: Han tog faktiskt av dem, när ... Ja, jag tycker han är gullig i alla fall.

---

§ TYCKER / TROR

Jag tycker (att) han är gullig.
Jag tycker (att) de är i vägen.
Jag tyckte (att) hans hår doftade så gott.

Det är **min åsikt**.

Jag tror inte (att) han vill komma på festen.
Hur går det på mötet, tror du?
Jag trodde (att) du var sjuk.

Man **vet** inte, man är **inte säker**.

Tempusharmoni

tror att han komm**er**
tro**dde** att han bo**dde**

tyck**er** att han ä**r**
tyck**te** att håret doftad**e**

Man utelämnar ofta "**att**" efter tycker och tror.

  Välj mellan **tycker** och **tror** och skriv fullständiga meningar eller gör det muntligt! Observera att man ibland kan använda antingen **tycker** eller **tror**. Diskutera skillnaden!

Berit / gullig /   *Jag tycker att Berit är gullig.*
regnar / imorgon / ?   *Tror du att ...*
kommer / Fridolf / ?
du / duktig / Maggan / !
de / gifter sig / snart /
Klas / snäll /
Sverige / vinner / ?
för mycket / sport / teve /
sluta / röka/ du / !

Ulla / sjuk /
tåget / går / 8.12 /
trevligt / igår /
Angelika / snygg /
går / till jobbet / igår / Anki /
för lite / kultur / teve /
vaknar / han / snart / ?
Sverige / dyrt /
finns / 100 000 sjöar / i Sverige /
de flesta svenskar / älskar / drottningen /
svenska politiker / ganska ärliga /
Volvo / Sveriges största företag /
svenska / naturen / vacker /
kan / det här / nu /

109. (Vad man tänker) – Vad man säger

A: (*Nej! Där kommer den där mallapan igen.*)
 – Nej, men hej. Det var roligt att se dig!
 Hur mår du?

B: (*Usch! Jag hatar den där människan!*)
 – Bara bra! Och du då?

A: (*Som om du bryr dig om det!*)
 – Jodå, jag mår fint. Vart är du på väg?

B: (*Det har du inte med att göra!*)
 – Jag ska till NK och köpa lite kläder.

A: (*Jaså. Nu igen. Hennes man måste vara gjord av pengar.*)
 – Vad trevligt!

B: – Och du? Vad gör du ute på stan en sådan här vacker dag?
 (*Som om jag vore intresserad av det.*)

A: (*En annan måste faktiskt jobba.*)
 – Jag har lunchrast. Men jag har just ätit. Annars kunde vi ha ätit tillsammans.

B: (*Oj, vilken tur. Jag hade inte stått ut med den där kvinnan en hel lunch.*)
 – Ja, det var ju synd.
 Kanske en annan gång?

A: (*Det hoppas jag verkligen inte.*)
 – Ja, det skulle vara trevligt.
 Jag måste kila. Hälsa Kjell!

B: (*Kjell? Hon skulle bara veta …*)
 – Ja, det ska jag göra. Hej, då!

141

110. En sak i taget

"Man ska göra en sak i taget!" Det sa alltid min far. Men jag tycker att jag är mer effektiv om jag gör flera saker på samma gång. På morgonen till exempel, när jag har bråttom, ser mitt program ut så här ungefär:

Medan jag klär på mig, lyssnar jag på nyheterna. Medan jag dricker kaffet, läser jag morgontidningen, och medan jag borstar tänderna, tänker jag på vad jag ska göra under dagen. Medan jag sitter på bussen på väg till jobbet, läser jag för det mesta en bok – på det sättet har jag läst många böcker. Mina arbetskamrater säger däremot ofta: "Vi har aldrig tid att läsa! Familjen och jobbet tar alla våra krafter!" Se där!

På kvällen tar jag det lugnare: jag vill gärna läsa lite i kvällstidningen, innan jag börjar laga middag, och jag vill äta i lugn och ro, innan jag går in i vardagsrummet och dricker kaffe.

Däremot gör jag ofta massor med saker, medan jag "tittar på teve", det vill säga, teven står på och jag sitter i soffan framför den. Jag går igenom dagens post, jag tippar, om det är fredag, så att jag kan lämna in kupongen på lördag, jag ringer några samtal, jag skriver brev, jag går ut i köket och hämtar en öl eller gör en kvällsmacka. Allt medan teven står på!

Så blir det kväll och jag går till sängs. Jag tar med mig min bok och sätter på min kassettbandspelare. Och så ligger jag och lyssnar till lugn musik, medan jag läser mig till sömns.

 Gör bisatser med **medan** och **innan**!

Exempel:
medan / klär på mig / lyssnar på radio /
Medan jag klär på mig, lyssnar jag på radio.

1. medan / dricker te / läser dagens post /
2. medan / duschar / sjunger /
3. medan / sitter på tåget / läser tidningen /
4. innan / går hem / handlar mat /
5. innan / äter / tvättar händerna /
6. innan / dricker kaffe / diskar /
7. medan / tittar på teve / diskuterar programmet /
8. innan / går och lägger mig / kontrollerar alla lås /
9. innan / somnar / läser en bok /

Skriv om **din** dag: Vad du gör innan du går hemifrån och vad du gör medan du dammsuger etc.

111. När vi flög vilse

 Lyssna på bandet och fyll i luckorna!
Det kan vara ett, två eller flera ord!

Klockan var … och det var fortfarande dimmigt, när vi kom till flygfältet. Vi … chartrat en Piper 10 och skulle flyga från Bromma till Anderstorp, min bror, …. Min bror skulle tävla i Formel 1 där, och min kille och jag … honom.

Piloten var en karl i 60-årsåldern. Han såg mycket erfaren …. Han och min bror satte sig i förarsätena och jag och min kille där bak. Vi rullade ut på startbanan, piloten … farten, planet rusade fram och vi ….

Snart … hela Stockholm under oss, tomma gator, hustak och kyrktorn, … glänste i morgonsolen. Så passerade vi Södertälje och satte kurs …. Vädret var utmärkt, molnfri himmel och … sol. Men i höjd med Norr-köping … molnigt, och när vi närmade oss Jönköping, var himlen täckt av tjocka moln …. Piloten började bli nervös. Han hade nämligen … på instrument förut och hade inget sådant certifikat, fast det … då.

Vi fick radiokontakt med kontrolltornet i Jönköping, men piloten … landa där. "Vi ska ju till Anderstorp!" sa han. "Jag går ner under molnen. Ni kan … Anderstorp! Vi kanske hittar någon väg, … försöka läsa på vägskyltarna!"

Han dök och flög tätt över marken. Vi såg bondgårdar och … och en fabrik, som kanske var Gislaveds Gummifabrik, men sedan såg vi bara skogar och skogar, tills vi plötsligt flög ut över en lång sandstrand. "Hjälp! Vi … havet!" ropade jag. "Var fan är vi?" skrek min bror.

Piloten blev blek. Vi hade nästan ingen bensin kvar. Han … och flög tillbaka …. Äntligen såg vi ett flygfält! Det var tomt och kontrolltornet …, men vi landade där ändå. Piloten … svetten ur pannan, medan vi klättrade ur planet på darriga ben.

Vi … på ett militärflygfält. Där fanns inte en människa, och …, men vi lämnade piloten och lyckades klättra över stängslet och ta oss fram till en väg. Där … och kunde stoppa en taxi. När vi kom fram till Anderstorp, … 10 mil. Vi kom två timmar för sent, och biltävlingarna … på flygfältet där.

"Jaså, där kommer ni!" skrek våra vänner, när de fick syn på oss. "Vad vi … oroliga för er!" Min mamma … klockan 10, och när vi … fram, ringde hon till Bromma flygfält, och därifrån slog de larm över hela Sverige. Ja, vilken massa besvär vi ….

Då såg vi plötsligt ett sportflygplan på väg in mot flygfältet, en liten tvåmotorig Piper! "Här får du inte landa! Flygfältet är stängt! Vi har motortävlingar här!" ropade kontrolltornet. "Jag …! Jag har ingen bensin kvar!" grät piloten. Det var förstås samma pilot, som … med. Äntligen … Anderstorp!

Naturligtvis måste bilarna lämna banan, och piloten kunde landa och stiga ut och tanka planet. "Så där!" sa han, "det gick ju bra i alla fall! När ska vi åka tillbaka igen?" Men då … nog. "Nej tack!" sa vi, "vi tar tåget hem!"

112. Min första skidtur

I påskas åkte jag skidor för första gången i mitt liv. Slalom har jag förstås åkt tidigare; jag menar längdåkning. Jag hade träffat en flicka, som hette Tina. Hon hade en andelslägenhet uppe i Sälen, vid norska gränsen, och hon bjöd mig dit. Vädret var strålande! Molnfri himmel, temperaturen 5–6 grader över noll. Jag fick hyra ett par skidor, långa, smala saker, som nästan inte vägde någonting. De verkade väldigt ostadiga. Tina såg mycket proffsig ut i en blå och vit overall, vita pjäxor och en blå mössa. Jag hade min träningsoverall och en tjock tröja och en stor mössa, som gled ner över glasögonen hela tiden.

Det fanns flera spår för oss längdåkare: "Silverspåret" 10 km, "Guldspåret" 15 km och "Världsmästarspåret" 25 km. Tina valde "Guldspåret" åt oss.

Det började bättre, än jag hade väntat. Spåret gick över fält och bredvid vägar, marken var jämn och jag lärde mig hålla balansen, att sparka bakåt och glida framåt och inte tvärtom. Sedan kom ett par uppförsbackar, men jag tittade på Tina och gjorde likadant: gick bredbent med fötterna utåt som en anka. Nedförsbackarna var svårare. Många gånger var jag på håret att falla, jag viftade med stavarna eller åkte på bara en skida. Men jag föll inte!

Jag var trött och vi stannade och vilade. Jag tog av mig glasögonen och blundade och lyssnade på tystnaden. Solen stekte, och luften var som kristall. Vi fortsatte. Jag började få ont i ena armen. Och i benen. Och ryggen värkte. Där kom en lång, lång nedförsbacke, jag gled nedför i rasande fart, ögonen tårades, spåret svängde men inte jag, för skidorna gick plötsligt i kors och som korken ur en flaska flög jag och hamnade med huvudet först i snön.

Jag spottade ut snön och såg mig omkring. Armar och ben var hela. En skida låg här, en stav låg där. Mössan hängde på en buske. Men glasögonen? Jag letade och letade i den djupa snön men hittade dem inte. Till slut gav jag upp. Tina väntade. Långsamt åkte jag vidare, trött och sur, och dessutom smakade det blod i munnen. Vilken skidtur! Jag var dödstrött, när jag äntligen kom hem.

"Min hjälte!" sa Tina och klappade mig. "Vad du ser ut! Har du lust att bada bastu med mig? Den är lagom varm nu. Så äter vi en varm soppa sen?" Det är klart att jag hade! Senare, när jag hängde upp mina våta kläder, hittade jag glasögonen i ena byxfickan. Där hade de legat hela tiden!

Läs texten först! Täck över texten och svara på frågorna! Du får tjuvtitta!

1. Hade han åkt skidor tidigare?
2. Var låg Tinas lägenhet?
3. Var det plus- eller minusgrader?
4. Hur fick han tag på skidor?
5. Beskriv skidorna!
6. Hade Tina åkt skidor förut?
7. Hur var det i början?
8. Ramlade han ofta i nedförsbackarna?
9. Hur var vädret egentligen?
10. Varför fick han ont i armar, ben och rygg?
11. Var det mycket snö, där de åkte?
12. Hur mådde han, när de kom hem?
13. Vad tyckte Tina om honom efter skidturen?
14. Vad skulle de göra först?
15. Ville han göra det?

113. Fryser inte fåglarna på vintern?

En tidig vintermorgon. Det är 20 grader kallt, snön ligger tjock och sjön är täckt av is. Luften blir till is i näsan, när man andas.

Under de tjocka, täta grenarna i en stor, snötäckt gran sitter en liten talgoxe. Den ser ut som en liten boll. Den har burrat upp fjädrarna och dragit in halsen och fötterna. Lever den, eller har den frusit till is, kan man undra, för under natten har det varit ännu kallare.

När det börjar bli kallt på hösten, flyger alla fåglar, som lever på insekter, söderut, till Medelhavet eller ända till Afrika (några flyger 600 mil eller mer!), men några arter stannar kvar i Sverige (duvor, skator, änder, men också småfåglar som mesar och sparvar).

Men hur kan de klara sig, när det är så kallt och mörkt? Hur kan de hålla kroppsvärmen? Vad äter de? Hur kan de dricka, när det är is på vattnet? Småfåglarna har en kroppstemperatur på 40–41 grader. När de sitter och sover, kan temperaturen kanske sjunka till 36–37 grader, men då kan de inte flyga, när de vaknar igen. Fjädrarna bevarar kroppsvärmen, men om det blåser, eller om de blir våta, kan de börja frysa. Därför försöker småfåglarna hitta någon håla, som de kan gömma sig i. Ofta sover flera fåglar tillsammans, eftersom de kan värma varandra då.

De fryser inte om fötterna (eller klorna), eftersom de inte har någon känsel där, men de kan förlora värme, och därför drar de in benen bland fjädrarna. Så gör också änder och svanar, när de ligger på den kalla isen; de drar upp fötterna i den varma fjäderdräkten.

Trots att snön ligger tjock, kan fåglarna hitta mat: det finns kvar frön av olika slag i träden, och i städerna finns det alltid snälla människor, som lägger ut gammalt bröd och andra godsaker. Men eftersom fåglarna har snabb ämnesomsättning, måste de jaga föda hela dagen och äta så mycket de hinner, annars kanske de blir för svaga och fryser ihjäl under natten.

Det finns faktiskt en fågelart, som äter snö och smälter den till vatten, men det är ett oekonomiskt sätt, eftersom det kräver mer energi än det ger. Därför måste fåglarna klara sig utan vatten. Om vintern är mild, kan fåglarna alltså klara sig ganska bra, men om det blir en sträng vinter, måste många sätta livet till.

§ BISATSORDFÖLJD (igen)

bisatsinledare	subjekt	(adverb)	verb	resten
när	man	–	andas	
när	det	–	börjar	bli kallt på hösten
när	de	–	vaknar	igen
om	det	(inte)	blåser	
om	de	–	blir	våta
om	vintern	(inte)	är	mild
som	–	–	lever	på insekter
som	de	–	kan	gömma sig i
eftersom	de	–	kan	värma varandra då
eftersom	de	inte	har	någon känsel där
eftersom	fåglarna	–	har	snabb ämnesomsättning
trots att	snön	–	ligger	tjock

Bisatsordföljd: **i**nte kommer **f**öre **f**örsta (**f**inita) verbet = **biff**-regeln

När **bisatsinledaren** = **som** är subjekt, är subjektets plats i bisatsen tom.

146

114. Ogift, gift eller sambo?

Ungefär 3 000 000 svenskar är gifta. Men antalet människor, som bor ensamma, ökar. Det är frånskilda, änkor, änklingar, ungkarlar och ungkarlsflickor. Enpersonshushåll är speciellt vanliga i storstäderna, även om man räknar bort änkor och änklingar.

Antalet skilsmässor är högt. Man räknar med att vart tredje äktenskap spruckit efter ca 10 år.

Ca 700 000 svenskar lever ihop utan att vara gifta. Men många av dem gifter sig, när de får barn eller när barnen börjar skolan. Under senare år verkar det som om det blivit mer populärt att gifta sig istället för att leva som sambor.

Män gifter sig i 32-årsåldern och kvinnor i 30-årsåldern. Då har de i allmänhet levt ihop några år. De flesta skaffar barn ganska sent. Kvinnan är i genomsnitt 28 år, när hon föder sitt första barn.

Det finns inga större skillnader i praktiken mellan att vara gift eller sambo. Det gäller t.o.m. om parterna flyttar isär. I båda fallen delar kvinnan och mannen i stor utsträckning de gemensamma ägodelarna i hemmet lika.

 Diskutera följande frågor!

1. Varför ska man gifta sig, när man kan leva som sambo?
2. Män gifter sig med yngre kvinnor och kvinnor gifter sig med äldre män. Varför det?
3. En del vill varken gifta sig eller flytta ihop med någon. Varför det, måntro?
4. Många vill inte ha barn. Varför det, tror du?
5. Fler och fler skiljer sig. Varför det?
6. Om du är ogift: När tänker du gifta dig? Eller tänker du inte gifta dig alls?
7. Om du är gift: När gifte du dig? Och varför?

 Fakta:

Under 1999 gifte sig 35 628 kvinnor och 21 000 kvinnor skilde sig.

Födelsetalet i Sverige var i början av 1990-talet ett av de högsta i Europa: 14,5/1 000 invånare.

1999 hade det sjunkit till 10,0, vilket är lågt jämfört med t.ex. våra nordiska grannländer.

(Källa: SCB 2000)

115. När var tar sin, så tar jag min

Kaka söker maka, säger man, eller lika barn leka bäst. Det betyder att de som liknar varandra, passar bäst tillsammans.

Olikheterna dras till varandra, säger man också. Det betyder motsatsen, nämligen att människor som *inte* liknar varandra, passar bra ihop.

Vilket är rätt nu då? Vad är viktigt för dig, när du söker en pojkvän eller flickvän eller en blivande maka eller make?

 Här följer en rad påståenden; ordna dem från "mycket viktigt" till "inte alls viktigt"! Jämför med dina kamrater!

Jag vill träffa någon ...

... som förstår mig
... som har samma smak som jag
... som mina föräldrar tycker om
... som inte snarkar
... som inte slösar med mina pengar
... som jag kan lita på
... som jag kan prata med om allting
... som är snygg
... som inte röker
... som jag kan få hjälp av i min karriär
... som alltid talar sanning
... som har samma intressen som jag
... som aldrig klagar på mig

§ ORDFÖLJD BISATS

		1	2	3	4	5	etc.
		inl	subj	adv	verb	resten	
	... en man	som	-★	–	är	rik.	(*Mannen* är rik)
Jag vill träffa	... en kvinna	som	-★	inte	röker.		(*Kvinnan* röker inte)
	... någon	som	jag	–	kan	prata med.	(*Jag* kan prata med någon)
	... alla	som	du	inte	tycker	om.	(*Du* tycker inte om någon)
							Subjektet i kursiv stil.

★som är redan subjekt

KVARLÄMNADE PREPOSITIONER

Jag pratade om den här boken	**Den här boken** pratade jag **om**.
Du pratade om en bok	**Vilken bok** pratade du **om**?
Jag pratade om en bok	Här är den där boken, **som** jag pratade **om**.

116. Fröken Roslanders klass

Elna: Jaså, är vi så märkvärdiga att vi ska bli intervjuade i tidningen? Ska vi börja med mig? Jo, jag är ganska aktiv i Missionsförbundet. Jag virkar och broderar och bakar till basarerna, och jag har gått med i Örebrobiologerna och har fått så mycket att göra att jag är upptagen nästan varje dag. Men på söndagen går jag på gudstjänst, och på eftermiddagen träffas vi fem ibland över en kopp kaffe.

Helga: Min man arbetade som lantarbetare ända fram till 1971 och vi flyttade så ofta att jag nog har sett varenda vrå av Sverige. Nu vill jag inte resa någonstans. Sedan min man dog, åker jag till sommarstugan ibland eller sitter barnvakt åt min dotterdotter, och på vintern är jag ute på Hjälmaren och pimplar abborre. Det är skoj, det!

Ester: Jag har precis flyttat in i ett servicehus, för jag har så ont i knäna att jag inte kan städa och tvätta själv. Lägenheten fick min sondotter överta, och hon blev så glad att hon började gråta! Annars lånar jag mycket biografier, när bokbussen kommer, och så har jag färdtjänsten, så att jag kan åka och hälsa på de andra fyra varannan vecka.

Hildur: Jag har ont i ryggen, jag, men jag klarar mig själv, än så länge. Två gånger i veckan kommer det en ung utlänning – iranier, tror jag – från hemtjänsten och handlar och städar åt mig. Han brukar berätta så spännande saker om sitt land att vi kan sitta och prata i timmar. Jag reser så mycket jag har råd. I påskas var jag på en pensionärsresa till Amsterdam, och i sommar ska jag resa till ett pensionat nära Mårbacka. Jag har läst så mycket av Lagerlöf att jag kan många böcker utantill! Jag försöker övertala Ester att följa med.

Göta: Jag ville egentligen inte alls bli pensionär. Men sedan jag blev änka, arbetar jag inom PRO i stället, så att vi ska få högre ATP och en bättre långvård – det finns så många gamla, sjuka människor som lever så ensamma att man blir rädd. Jag har tagit upp studiet av esperanto igen och jag brevväxlar med en lärare i Japan, och på lördagarna går jag till Brolyckans Pensionärsklubb och dansar.

Elna: Javisst är vi olika allihop! Vi har egentligen bara en sak gemensam, och det är att vi alla gick i samma klass i folkskolan, i gamla Vestra Skolan. Vi hade tur, som fick fröken Roslander! Hon var så snäll att hon aldrig skulle kunna göra en fluga förnär. Annars var inte lärarna så nådiga mot ungarna på den tiden!

Ester: Jag kommer ihåg första dagen i skolan. Där var vi, 36 blyga förstaklassare. Idag är vi bara fem kvar. Och jag var så blyg att jag inte vågade släppa mammas hand! Vilket år? Ja, se det glömmer jag aldrig – samma år som ryska revolutionen – den 20 augusti 1917!

§ SÅ ... ATT

Är vi **så** märkvärdiga **att** vi ska bli intervjuade?   **så** = gradadverbial
Hon blev **så** glad **att** hon började gråta!

Jag har färdtjänsten **så att** jag kan hälsa på de andra.   **så att** = bisatsinledare

Jag arbetar inom PRO **så att** vi ska få högre ATP.   I huvudsatsdelen beskrivs ofta ett tillstånd som **resulterar** i något eller är en **förutsättning** för något.

 Gör meningar med så att!

Exempel: borsta tänderna – inte får hål
*Borsta tänderna **så att** du inte får hål!*

1. ta på dig ordentligt – inte blir förkyld
2. ät ordentligt – blir stor och stark
3. öva flitigt – lär dig ordentligt
4. var tyst – pappa inte vaknar
5. arbeta mycket – tjäna mycket pengar
6. ät inte för mycket – får ont i magen
7. väck mig – inte kommer försent
8. han dricker en kopp kaffe – vaknar
9. hon studerar – får ett bra arbete
10. de lägger sig tidigt – orkar gå upp

Exempel: blev glad – dansade
*Hon blev **så** glad **att** hon dansade.*

1. ledsen – grät
2. arg – skällde på barnen
3. törstig – drack en liter vatten
4. snabb – alltid kom först
5. rolig – alla skrattade
6. trött – somnade
7. pigg – gick upp klockan sex
8. duktig – vann pris
9. gammal – trodde inte skulle orka
10. lat – inte gjorde några läxor

117. En kort–kort bilsemester

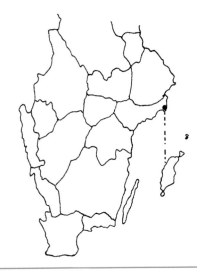

För två år sedan skulle vi åka på semester till-
sammans för första gången. Vi hade bestämt
att vi skulle köpa en billig bil, ta med den på
färjan till Gotland, campa en vecka på ön och
sedan fortsätta söderut, tills pengarna tog slut.
Janne skulle köra, för jag och Nettan hade
inte tagit körkort ännu.

Janne tyckte inte att det var någon idé
att köpa en besiktigad bil för 35–40 000.
Han tyckte att det inte spelade någon roll
om bilen skramlade lite och var rostig,
eftersom vi bara skulle använda den under
semestern. När vi sålde den skulle vi få
nästan samma pris som vi köpte den för.

Vi köpte en begagnad Volvo Amazon,
årgång 68, hos Bussige Benke på Nygatan
här i Nynäshamn. Vi fick den för 6 000,
inklusive försäkring. Varför skulle vi försäkra
en sådan rishög? undrade jag. ”Trafikförsäkra
den måste man”, sa bilförsäljaren. ”Dessutom
är en stöldförsäkring bra, ifall någon bryter sig
in i bilen för att stjäla. Då får man ersättning
för allt som har försvunnit.”

Vi rullade ut på Nygatan. Bilen startade,
Janne lade in ettan, tvåan, trean … inga prob-
lem. När vi skulle åka hem, började det regna.
Janne slog på vindrutetorkarna. Genast flög
den vänstra av, så att han måste stanna och
leta på gatan tills han hittade den. Han
satte fast den med två gem, så att vi kunde
fortsätta hem och sätta igång att packa. Vi
tankade, köpte olja, en varningstriangel,
första hjälpen, ett bogseringsrep och
massor av läsk och potatischips. Det
gick på drygt 800.

Nästa dag: vi kom ner till färjeläget utan

BILTERMER

en växel	mötande bilar
en broms	signalerar
ett hjul	parkerar
en punktering	ett motorstopp
ett körkort	lossar
besiktigar	en handbroms
rostig	en parkeringsplats
begagnad	backar
en försäkring	en verkstad
en rishög	en reparation
(en) trafik	kör
rullar	styr
startar	välter
lägger in ettan	stannar
en vindrutetorkare	ett bakhjul
tankar	en biltjuv
en varningstriangel	en ratt
ett bogseringsrep	(en) koppling
(en) olja	ett framsäte
ett helljus	ett baksäte

problem. När vi skulle åka ombord på färjan upptäckte Janne att helljuset var på. Det var därför alla mötande bilar hade signalerat åt oss! En besättningsman vinkade åt oss att vi skulle åka ombord. Det var trångt: vi skulle parkera mellan en stor Volvo 740 och en Mercedes. Janne startade och åkte långsamt upp på landgången. Där fick han motorstopp!

Janne for ut och in under motorhuven, medan besättningsmännen skyndade på honom. Efter tio minuter gav han upp och sa att vi måste åka av färjan. Han lossade handbromsen och vi rullade av.

Färjan gick, och där stod vi. Janne prövade att starta, och nu gick bilen genast igång. Men i stället fastnade backväxeln, så att vi bara kunde åka bakåt. Jag blev tvungen att stiga ut och dirigera, så att vi inte skulle backa i sjön. Sedan fick vi lov att backa i fem kilometer, tills vi kom till en verkstad. Nästa dag hämtade vi bilen. Reparationen kostade 1 800 kronor: ett lager som hade gått sönder gick på 430 kronor, och resten var arbetskostnad + moms. Vi satte oss i bilen och gjorde ett nytt försök. Det gick riktigt bra. Vi kom ut på Nynäsvägen och körde säkert i 60, när bilen började gunga så att Janne nästan inte kunde styra. Vi blev rädda att vi skulle välta. "Hjälp! Vart tog vägen vägen?" ropade Janne. Till slut kunde han stanna bilen och vi gick ut och såg efter vad som hade hänt.

Vi hade fått punktering. Höger bakhjul var platt som en pannkaka. Dess bättre kunde vi se en hamburgerbar några hundra meter bort. Nettan och jag tog ut våra veckotidningar och kassettbandspelare från bagaget. Vi kunde ändå inte hjälpa Janne att laga punkteringen. Dessutom mådde jag illa och behövde sätta mig ner på en stol som inte gungade.

Efter en halvtimme kom han, trött och smutsig. Medan han tog en kall öl, diskuterade vi hur vi skulle göra. Till slut bestämde vi att vi skulle fortsätta trots allt. Med tunga steg gick vi tillbaka till bilen – dvs. till parkeringsplatsen, där bilen skulle ha stått. Men där fanns ingen bil! Någon hade stulit den och åkt sin väg!

"Hurra!" ropade Janne. "Där ser ni vad bra det var att vi tog en försäkring!" Och han gick omkring och log för sig själv hela dagen, säkert vid tanken på allt som den stackars biltjuven skulle råka ut för!

§ TEMPUSHARMONI I HUVUDSATS OCH BISATS

Vi ha**de** bestämt
att vi **skulle** köpa en billig bil.   ("Vi köper en bil!")

Vi tänk**te** fortsätta söderut
tills pengarna **tog** slut.   ("Vi fortsätter, tills pengarna tar slut!")

Janne tyck**te** inte, *att* det **var** någon idé.   ("Det är ingen idé!")

(Tempusharmoni forts.)

Han tyckte att det inte spelade någon roll *om* bilen skramlade lite och **var** rostig, *eftersom* vi bara **skulle** använda den under semestern.

("Det spelar ingen roll *om* bilen skramlar lite och **är** lite rostig, *eftersom* vi bara ska använda den under semestern!")

När vi **skulle** åka hem, började det regna.

("Det börjar regna!")

En besättningsman vinkade åt oss *att* vi **skulle** åka ombord.

("Åk ombord!")

Men i stället fastnade backväxeln *så att* vi bara **kunde** åka bakåt.

("Vi **kan** bara åka bakåt!")

Vi **blev** rädda *att* vi **skulle** välta.

("Hjälp, nu välter vi!")

Till slut bestämde vi *att* vi **skulle** fortsätta trots allt.

("Vi fortsätter!")

Tempusharmoni – vad sa/frågade de?

Förvandla direkt till indirekt och tänk på tempusharmonin och satsadverbens placering!

Exempel:

A: *Volvo Amazon är en bra bil, tycker jag!*
A sa, att han tyckte att Volvo Amazon var en bra bil.
B: *Vad ska vi göra?*
B undrade vad vi skulle göra.
C: *Är det inte dags att köra snart?*
C frågade om det inte var dags att köra.

D: Bilen går bra, tycker jag!
E: Varför startar inte bilen?
F: Bilen är trasig.
G: Varför måste man ta en försäkring?
H: Får bilen plats på färjan?
I: Fungerar batteriet?

J: Hur många växlar finns det?
K: Bromsarna tar inte!
L: Kan du verkligen köra?
M: Jag ska bara backa in i garaget!
N: Ratten är lite trög!
O: Har han körkort?
P: Jag tycker att bilen är en rishög!
Q: Vi har fått motorstopp!
R: Har växeln fastnat?
S: När kan vi hämta bilen?
T: Hur är bakhjulet?
U: Är det punktering?
V: Räcker bensinen?
X: Jag slår av motorn!
Z: Bilen skramlar!
Å: Kan du sätta på lyset?
Ä: Jag ska prova att starta.
Ö: Där kan vi parkera!

118. Mitt akvarium

Har du någon hobby? Min hobby är akvarie-fiskar. Jag har två akvarier, ett på 300 liter och ett på 50 liter och en massa fiskar. En del har jag köpt, en del har jag fött upp själv. Det är ganska jobbigt att sköta ett akvarium. Man måste städa, byta vatten och ge fiskarna mat, och vattnet måste vara lagom varmt och lagom surt.

På bilden ser man några av mina fiskar. Den där randiga fisken uppe till vänster är grön med gula ränder och prickar. Den långa munnen använder den, när den letar mat i sanden.

Under den randiga fisken ser vi en annan intressant fisk. Titta på det väldiga bröstet och de små bröstfenorna! Den här fisken kan flyga, påstår man, men det har jag aldrig sett.

Under den flygande fisken ser vi en fisk med någonting som ser ut som ett långt svärd i stjärten, och därför heter den svärdbärare. Det är en hane, det ser man på den långa stjärten, för honor har inga svärd. Däremot kan en hona förvandlas till en hane, när hon blir vuxen, och då får hon också ett sådant där långt svärd. Fantastiskt, va?

Den runda fisken i mitten är ganska farlig, för den är giftig. Om man bryter av någon av de många taggarna på kroppen, kommer giftet ut. Men de andra fiskarna aktar sig för den.

Under den runda fisken och bredvid fisken med den långa stjärten ser vi en fisk, som ser ut som ett flygplan. Titta på de långa, eleganta fenorna! Visst ser de ut som vingar? Den är ljusblå och ljust lila, och prickarna på fenorna är mörkblåa.

De två konstiga figurerna längst uppe till höger ser inte ut som fiskar, men det är de i alla fall. Den högra är en hona och den lilla till vänster är en hane. De kallas sjöhästar på svenska, fast de ser inte ut som hästar heller.

Den stora, svarta fisken under de två sjöhästarna är vackrast av alla fiskar i mitt stora akvarium. Den glider sakta och elegant fram genom vattnet och bryr sig inte om alla de andra fiskarna som jagar varandra och slåss och bråkar. Men de långa fenorna är ömtåliga och går lätt sönder, vilket man ser på bilden.

§ ADJEKTIV I BESTÄMD FORM

Attributivt

fristående adjektivartikel	ADJ + adjektivändelse	SUBST - substantivändelse
den	gröna	bilen
det	gröna	huset
de [dom]	gröna	bilarna

Jämför

the	green	cars
die	grünen	Autos
les	–	voitures vertes

Predikativt = obestämd form på adjektivet

bilen	är	grön
huset	är	grönt
bilarna	är	gröna

§ ADJEKTIVETS FORMER

	obestämd form	bestämd form
en-ord	–	-a
ett-ord	-t	-a
pluralis	-a	-a

Alltså:

Är adjektivet **obestämt** och beskriver ett **en-or**d?	Gör ingenting!
Är adjektivet **obestämt** och beskriver ett **ett-or**d?	Lägg till ett -t!
Alla andra fall:	Lägg till ett -a!

119. Färgblind

Jag är färgblind. Det är 8 procent av alla män. Jag ser alltså inte skillnad på vissa färger: rött, grönt och brunt till exempel ser likadant ut för mig.

Ibland har jag en röd skjorta till gröna byxor. Ibland en grön socka på den ena foten och en brun socka på den andra. Min bruna väska är grön, säger min fru. Och mina bruna tofflor är gröna.

Igår tyckte jag att jag hade en matchande klädsel. En vit tröja med gröna ränder och likadana strumpor. Min fru log och sa: – Dina strumpor är inte gröna. De har en grå rand!

Förra veckan kom jag hem med en jättesnygg mörkblå slips, trodde jag.

– Den är lila, väste hustrun. Du får gå tillbaka med den! Och byt ditt röda skärp också, som du köpte i samma affär. Dina manchesterbyxor är faktiskt gröna!

Men trots allt kan jag se några färger: Den blåa himlen och den gula solen, dvs. samma vackra färger som i den vackra svenska flaggan! Det gröna gräset ser jag också, konstigt nog, eftersom jag brukar blanda ihop grönt, rött och brunt.

Och trafikljusen ser jag skillnad på, men det beror på att man har blandat in gult i det röda och blått i det gröna för oss färgblinda.

---

§ **ADJEKTIV BESTÄMD FORM**

Adjektiv i bestämd form slutar alltid på **-a**

en-ord	**den** röda skjort**an**, **den** svenska flagg**an**, **den** varma sommar**en**
ett-ord	**det** röda skärp**et**, **det** svenska stål**et**, **det** gröna gräs**et**
pluralis	**de** röda byxor**na**, **de** vackra skärp**en**, **de** gröna ränder**na**

Efter **min**, **samma**, **nästa** har *substantivet obestämd form* men *adjektivet bestämd form.*

en-ord	**min** röda skjorta, **din** gröna peruk, **hans** nya kostym, **samma** gaml**a** hatt
ett-ord	**mitt** röda skärp, **ditt** stora problem, **samma** gaml**a** program
plural	**mina** röda byxor, **era** svenska lektioner, **samma** dumm**a** frågor

Om substantivet är maskulinum, slutar adjektivet ofta på **-e** i bestämd form:
den gaml**e** mann**en**, **den** snäll**e** pojk**en**, **den** ung**e** lärar**en**, **min** kär**e** son

156

Den smutsiga flickan

Skriv ner rätt form av adjektiven!

Den ...   flickan ville inte tvätta sig.
Den ...   pojken ville inte göra något.
Den ...   journalisten ville veta allt.
Den ...   expediten hjälpte oss.
Den ...   vaktmästaren körde ut oss.
Det ...   barnet skrek hela tiden.
Den ...   eleven klarade alla frågor.
Den ...   ynglingen visade sina muskler.
Det ...   statsrådet avgick.
Den ...   kvinnan köpte kläder på NK.
Den ...   chefen tog inte emot.
Det ...   fruntimret skällde på alla.
Den ...   hemmafrun orkade inte mer.
Det ...   ombudet skötte förhandlingarna.
Den ...   filmstjärnan gav en intervju.
Den ...   läraren avslutade lektionen.

Välj mellan dessa adjektiv
eller hitta på egna!

lat   smutsig
duktig   frågvis
rik   arg
smart   hjälpsam
glamorös   sur
flitig   elak
dum   snäll
sjuk   vänlig
glömsk   trött

Det färgglada tangentbordet

(en bruksanvisning)

För vår nya dator har vi konstruerat ett
tangentbord som är lätt att arbeta med.
Bredvid de vanliga tangenterna, A–Z
(A–Ö på den svenska versionen),
har vi funktionsknappar i färg:
en gul, en blå, en grön, en brun,
en svart och en röd.

 Lyssna på resten av bruksanvisningen
och svara på följande frågor!

1. Vilken tangent flyttar markören till början
   av texten?
2. Vilken tangent sparar texten i minnet?
3. Vilken tangent suddar ut hela texten?
4. Vilken tangent suddar ut sista meningen?
5. Vilken tangent flyttar markören till slutet
   av texten?
6. Vilken tangent öppnar man ett nytt
   dokument med?

Ord på -ande böjer man inte.

Exempel: den blinkande fyrkanten
         en blinkande fyrkant

Skriv i bestämd form, dvs. adjektivet eller substantivet eller båda:

Exempel: röd / skjorta   Den röda skjortan

grön / skärp
brun / byxor
gul / slips
min / snäll / farmor
stor / hus
min / ljus / kostym
spännande / bok
hennes / ny / glasögon
god / mat
lång / brev
samma / tråkig / övning
vår / duktig / klass
deras / ny / hus
intressant / artikel
dyr / vin
er / stor / problem (sing.)
vit / blommor
din / fin / kort
stark / lampa
tuff / journalist
trött / läkare

TIPS!
Titta i ordlistan eller fråga din snälla lärare, om det heter en eller ett, om du inte vet det!

Vill du öva mera?
Skriv egna exempel med ord som ni har använt i klassen!

Vad handlar boken om?
På en bokhylla i vardagsrummet står det tio böcker. Vad handlar de om, tror ni?

Det svarta guldet	guld
Den röda vägen	kärlek i Paris
Den kalla natten	svensk ekonomi
Det stora spelet	olja
Det glada sextiotalet	svensk grammatik
Den svåra frågan	en svensk popgrupp
Den gula metallen	religion
Det svenska språket	maktpolitik
Den långa boulevarden	en detektivroman
Det blågula alternativet	om socialism

  Gör liknande titlar: den/det + adjektiv + substantiv och diskutera vad de handlar om!

120. Det bästa med Sverige

Vi frågade några personer i Sverige:
Vad är det bästa med Sverige?
Här är några av svaren:

- Den friska luften. (Jag bor på landet.)
- De rena gatorna. (Jag bor i en tätort.)
- Den vackra naturen.
- Den rika kulturen.
- Det vackra språket. (Jag är invandrare.)
- De snälla människorna. (En annan invandrare.)
- Det jämlika välfärdssamhället.
- De höga skatterna! (Man får så mycket för dem: sjukvård, skolor, vägar etc.)
- De ljusa sommarnätterna.

Vad är det bästa med ditt land, din stad, din skola etc? Svara med bestämda nominalfraser:

den ...	-a ...	-(e)n
det ...	-a ...	-(e)t
de ...	-a ...	-na/-en

Förslag till turisternas tio-i-topp

1. Liseberg
2. Kungliga slottet och Drottningholms slott
3. Vasamuseet
4. Skansen och Gröna Lund
5. Kolmårdens djurpark
6. Glasbruken i Småland
7. Midnattssolen i Lappland
8. Ishotellet i Jukkasjärvi
9. Falu koppargruva
10. Selma Lagerlöfs hem Mårbacka i Värmland

Ishotellet i Jukkasjärvi är byggt av tusentals ton snö och is. Inomhustemperaturen håller sig runt fem minusgrader. Gästerna kan övernatta på renfällar, ta en drink i isbaren, åka med hundspann över myrarna eller till och med gifta sig i iskyrkan! På våren smälter allt ner och på hösten byggs ett nytt hotell upp.
www.icehotel.com

121. Påskkäringar

Påsken är en religiös helg som man firar till minne av Jesu död. Men det finns också många seder vid påsken som inte har något samband med kristendomen, t.ex. påskkäringarna.

Förr i världen trodde man på häxor. Det var elaka kvinnor som hade kontakt med djävulen och kunde trolla.

På skärtorsdagen flög de – på en ko, en kvast eller vad som helst – från hela Sverige till Blåkulla. Där träffade de Hin Håle själv, dansade, kopulerade och lärde sig nya trollkonster.

Idag finns inga häxor kvar. Men på skärtorsdagen eller påskafton brukar småbarnen klä ut sig till häxor – påskkäringar – med en kvast och en kaffekanna och gå runt och ringa på hos grannarna och önska "Glad påsk!" och kanske lämna en liten teckning eller målning. För det mesta får de ett glas saft och bullar eller kakor eller kanske lite pengar som tack.

Här ovan är Mikael, 4 år, och Malena, 8 år. Mikael har fått låna Malenas stora träskor, mormors långa kjol, mammas gula sjal och farmors gamla kaffepanna. Runt den lilla

näsan har mamma målat en massa små fräknar.

Malena har mammas högklackade skor, en av hennes gamla klänningar och mormors fina sjal om huvudet. Dessutom har hon målat läpparna med mammas röda läppstift.

160

§ OREGELBUNDNA ADJEKTIV I BESTÄMD FORM

ADJEKTIV på -er, -el, -en (-e- försvinner)

vacker	vackra	det vackra huset
enkel	enkla	den enkla frågan
vaken	vakna	de vakna pojkarna
liten	lilla – små (pluralis)	det lilla huset
		den lilla staden
		de små flickorna

(Participial)adjektiv på **-ad: e** i bestämd form och pluralis.

I obetonade stavelser kan man inte ha två a:n efter varandra.

intresserad	intresser**a**d**e**	den intresserade läraren
förvånad	förvån**a**d**e**	det förvånade biträdet
högklackad	högklack**a**d**e**	de högklackade skorna
gammal	gamla	den gamla kvinnan
(m + a försvinner)		det gamla huset

En nyttig övning

Börja med frasen "en nyttig övning". Sedan ska du byta ut ett ord i taget, så att frasen hela tiden förändras. Använd orden i ordlistan. Tänk på att anpassa de grammatiska formerna!

	en nyttig övning
den	*den* nyttiga övningen
enkel	den *enkla* övningen
frågor	de enkla *frågorna*
dum	de *dumma* frågorna
mina	*mina* dumma frågor
förslag (sing.)	mitt dumma *förslag*

det	...	dyr	...
klok	...	presenter	...
hennes	...	hans	...
morfars	...	den	...
gammal	...	fin	...
hus	...	universitet	...
det	...	ett	...
stor	...	berömd	...
mitt	...	skola	...
ny	...	de	...
ett	...	författare (plur.)	...
modern	...	en	...
våning	...	duktig	...
många	...	elev	...

122. Vilken stad är bäst –
Göteborg eller Stockholm?

– Göteborg förstås! säger Viktoria.
– Stockholm, så klart! säger hennes bror Daniel,
som bor på Kungsholmen sedan ett år tillbaka.
Vi gör en lista över deras argument.

	Gbg	Sthlm
Stockholm är störst. Det bor dubbelt så mycket folk i Stockholm som i Göteborg (1998: 1 730 000 mot 829 000).		✓
Stockholm är äldst, ungefär 400 år äldre än Göteborg.		✓
Det regnar mer i Göteborg än i Stockholm.		✓
Det finns fler arbeten i Stockholm än i Göteborg.		✓
Det finns inte lika många mysiga caféer i Stockholm som i Göteborg.	✓	
Göteborgarna spelar bättre fotboll.	✓	
Killarna är snyggast i Göteborg (tycker Viktoria).	✓	
Stockholms skärgård är oslagbar.		✓
Bostadskön är kortare i Göteborg.	✓	
Stockholm är vackrast (tycker Daniel. Viktoria säger ingenting).		✓
Det finns många fler biografer och teatrar i Stockholm.		✓
Trafiken är värst i Stockholm.	✓	
Kungen och drottningen bor i Stockholm. (Vad spelar det för roll? undrar Viktoria.)		✓
Stockholmarna tjänar mer än göteborgarna i genomsnitt.		✓
I Göteborg finns det fortfarande spårvagnar (för spårvagnar är mycket roligare än tunnelbana, säger Viktoria, och det håller Daniel med om).	✓	
(Källa för geografiska fakta: SCB 2000) **Summa:**	**6**	**9**

Stockholm är bäst! (Men Göteborg är trevligast ändå, tycker Viktoria.)

 Jämför "din" stad med någon annan stad på samma sätt!

Det här är statyn Poseidon av Carl Milles. Den står på Götaplatsen och blickar ner över Avenyn, en populär gata i Göteborg. Här kan man strosa i folkvimlet mellan caféer och butiker.

Här ser du två av Stockholms mest kända byggnader. Den ena är Stadshuset, vackert beläget vid vattnet. Den andra är Globen, en arena för sport och kultur.

§ REGELBUNDEN KOMPARATION

KOMPARATIV		SUPERLATIV	
ADJ – are		**ADJ – ast**	
hederlig**are**	elegant**are**	hederlig**ast**	elegant**ast**
dumm**are**	vanlig**are**	dumm**ast**	vanlig**ast**
billig**are**	kall**are**	billig**ast**	kall**ast**
intressant**are**	säkr**are**	intressant**ast**	säkr**ast**
populär**are**	enkl**are**	populär**ast**	enkl**ast**

§ OREGELBUNDEN KOMPARATION

KOMPARATIV SUPERLATIV

Med omljud	ADJ – re	ADJ – st
stor	stör**re**	stör**st**
hög	hög**re**	hög**st**
låg	läg**re**	läg**st**
lång	läng**re**	läng**st**
tung	tyng**re**	tyng**st**
ung	yng**re**	yng**st**
få	fär**re**	–

Hur man jämför

Jag är starkare **än** *du*.
Jag är **lika** stark **som** *du*.

Du och jag är **lika starka**.
Jag är **mycket** starkare än du.
Du är stark, men jag är **ännu** starkare.
Vem är **starkast** av dig och mig?
– Jag är **starkast**.
Det finns två vägar. Vilken är **kortast**?

Oregelbundna

bra	bättre	bäst
dålig	sämre	sämst
„	värre	värst
gammal	äldre	äldst
liten	mindre	minst
mycket	mer	mest
många	fler	flest

Particip och adjektiv på –ande, –ad och –isk

fascinerande	**mer** fascinerande	**mest** fascinerande
intresserad	**mer** intresserad	**mest** intresserad
typisk	**mer** typisk	**mest** typisk

123. Varför får en del allt?

Varför får en del personer allt och andra inget? Jag har en arbetskamrat, en kvinna, som har allt: Hon är vackrast på jobbet, hon är också duktigast och gladast av alla. Hon är piggast också. När vi andra sitter och halvsover på morgonen, kommer hon in och ler och strålar som en sol. När det gäller kläder, har hon absolut bäst smak. Hon är mest musikalisk också och sjunger och spelar flera instrument. Hon är artigast, trevligast och vänligast, tycker kunderna.

Gud, vad jag är avundsjuk på henne!

124. Mina bröder

Min storebror är verkligen jobbig. Han är alltid vackrast och bäst, säger han. Okej, starkast är han, för han är äldst. Men snyggast? Nej, och inte duktigast heller, och absolut inte intelligentast, för det är jag!

Min lillebror är tvärtom. Han är sämst i allting och minst begåvad och fulast, tror han. Han är yngst, det är kanske därför?

 Ta reda på följande:

1. Vem är längst i klassen?
2. Vem är yngst?
3. Vem är latast?
4. Vem är äldst?
5. Vem har flest syskon?
6. Vem är starkast?
7. Vem gick upp tidigast idag?
8. Vem gick upp sist?
9. Vem bor längst bort?
10. Vem har minst skonummer?
11. Vem är mest romantisk?
12. Vem har lägst puls?

Glöm inte redovisningen!

> *Borta bra, men hemma bäst*
> *Ju fler kockar, desto sämre soppa!*
> Ordspråk

165

Här nedan är en lista med 10 olika djur och saker. Vad är tyngst och vad är lättast? Diskutera två och två och skriv dem i ordning, från den lättaste till den tyngsta!

en cykel

en gris

en fullvuxen kvinna

en motorcykel

en tvättmaskin

en elefant

en häst

en fullvuxen man

ett piano

en Volkswagen Golf

Här är några fraser, som ni kan använda när ni redovisar:

A är tyngre än B.

A väger mer än B.

A är lika tung som B.

A väger lika mycket som B.

A väger minst.

B väger mest.

Sverige är större än Danmark!

Hitta på egna adjektiv i komparativ!

Sverige är … än mitt land.

Mammor är … än pappor.

Pojkar är … än flickor.

Blod är … än vatten.

Järn är … än bomull.

Lärare är … än elever.

Sommaren är … än vintern.

Svenska är … än engelska.

Lördagar är … än måndagar.

Att gå på disko är … än att göra läxor.

Mjölk är … än vin.

Vin är … än mjölk.

Kaffe utan socker är … än kaffe med socker.

Danskar är … än svenskar.

Natten är … än dagen.

Att bo på landet är … än att bo i staden.

Att bo ensam är … än att bo tillsammans med någon.

Fortsätt med egna exempel!

Fråga läraren om nya ord!

125. Min första kärlek

Hon var vackrast i klassen, jag var fulast
hon var duktigast i nästan alla ämnen, jag var sämst
hon var snabbast på 60 meter, jag var långsammast
hon var längst, det var ett problem, för jag var kortast
hennes familj var rikast av alla, min var fattigast
hon var snällast, jag var styggast
men vi var lika gamla, tio år,
och jag älskade henne.

126. Ett kärleksbrev

Staffan Olsson är 25 år, och just nu sitter han och skriver brev till Rebecka Andersson, som är på semester i USA.

Min älskade lilla duva!

Det är kväll och jag sitter och försöker skriva några rader till dig, mitt hjärtegull. I Amerika är det väl mitt på dagen?

Hur är det där i USA? Är allting verkligen bättre och större än här? Och är alla hus högre? Och människorna, är de vackrare? Hamburgarna är förstås större, men är de godare också? Dyrare är de säkert...

Varmare är det nog, för här är det riktigt kallt just nu. Och utan dig känns det förstås ännu kallare!

Jag räknar dagarna och önskar att tiden kunde gå lite fortare. Välkommen hem igen, min lilla blomma!

Många varma kyssar och kramar
från din egen Staffan.

 Skriv Rebeckas svar! Använd komparativer!

127. Störst, minst och vackrast i Sverige

Sveriges största sjö är Vänern. Den är
5 585 km² stor.

Sveriges högsta berg är Kebnekaise. Det är
2 111 meter högt.

Sveriges längsta flod är Klarälven med
Göta älv, som är 720 km lång.

Sveriges minsta fågel är kungsfågeln.

En av Sveriges rikaste familjer är familjen
Wallenberg.

Sveriges äldsta stad är Sigtuna
(från 800-talet).

De vackraste flickorna i hela Sverige finns
i Göteborg. Eller Luleå.

Det farligaste djuret är vargen. Den lever
i Värmland och Norrland. (Farlig för får
och renar men inte för människan.) Det
finns inte många kvar.

Den djupaste sjön i Sverige är Hornavan,
som ligger i Lappland.

Den mest berömda kompositören är kanske
Lars-Erik Larsson.

Den mest lästa författaren är säkert
Astrid Lindgren.

Den vackraste dialekten i Sverige hör man
i Jönköping (tycker de som kommer från
Jönköpingstrakten).

Den bästa åkermarken ligger i Skåne.

De flesta ämbetsverken ligger i Stockholm.

Det dyraste frimärket är "3 skilling banco
gul". Det kostar 2 miljoner kronor.

Den vanligaste blomman är maskrosen.

Det populäraste bilmärket i Sverige är Volvo.

 Beskriv ditt land!

1. Vilket är det högsta berget i ditt land?
2. Vilken är den största staden?
3. Vem är den mest berömda kompositören?
   o s v.

§ ADJEKTIV I SUPERLATIV + SUBSTANTIV

Adjektivet har bestämd form (med eller utan artikel).
Bestämdhetsändelsen i superlativ är:

-e i normalfallet ★	**-a** till de 15 oregelbundna adjektiven med omljud
min intressant**aste** bok	min yngst**a** bror
min dyr**aste** kamera	mitt sämst**a** ämne
mitt svår**aste** problem	mina bäst**a** vänner
de billig**aste** byxorna	den högst**a** skatten i landet
mina närm**aste** släktingar	det värst**a** vädret på länge
den konstig**aste** tavlan	de minst**a** barnen i skolan

★ eftersom ändelsen i superlativ slutar på -ast, och man inte kan ha två a:n efter varandra i obetonade stavelser.

Jämförelser

vilken?	frågar efter **en**-ord: vilken är störst av en älg och en ren? vilken stad är störst av Shanghai och Mexico City?
vilket?	frågar efter **ett**-ord: vilket (land) är störst av Sverige och Norge? och **ämnesnamn**: vilket är dyrast av kaffe och te? vilket är billigast av pappersnäsdukar och tygnäsdukar?

Öva själv:

1. Vilken är (stor) störst av en älg och en ren?
2. ... är (god) ... av öl och vin?
3. ... är (svår) ... av piano och fiol?
4. ... är (regnig) ... av London och Göteborg?
5. ... är (hög) ... av Mont Blanc och Kebnekaise?
6. ... är (dyr) ... av teater och bio?
7. ... är (lätt) ... av spanska och italienska?
8. ... är (gammal) ... av Aten och Stockholm?
9. ... är (rolig) ... av ishockey och fotboll?
10. ... är (bra) ... av Volvo och Saab?
11. ... är (farlig) ... av cigarretter och alkohol?
12. ... är (svår) ... av tyska och ryska?

169

128. Sveriges landskap

Det finns 25 landskap i Sverige. Några är stora, andra är små. Idag har de ingen administrativ funktion längre, men de betyder fortfarande mycket för en persons identitet. "Jag är från Dalsland", säger man stolt, till exempel. "Han är skåning" kan vara ett positivt eller negativt yttrande, beroende på vad man tycker om skåningar. Här följer en lista på landskapen (norrifrån).
Följ med på kartan!

Norrland

1. Lappland
2. Norrbotten
3. Västerbotten
4. Ångermanland
5. Medelpad
6. Jämtland
7. Härjedalen
8. Hälsingland
9. Gästrikland

Svealand

10. Dalarna
11. Värmland
12. Västmanland
13. Uppland
14. Södermanland
15. Närke

Götaland

16. Dalsland
17. Västergötland
18. Östergötland
19. Gotland
20. Öland
21. Småland
22. Bohuslän
23. Halland
24. Blekinge
25. Skåne

Linnea borealis
Smålands
landskapsblomma

Alla landskap har en egen blomma och en egen sång.

Värmlandsvisan och *Flickorna från Småland* är särskilt populära både bland svenskar och utländska musiker.

VÄRMLANDSVISAN
Svensk folklig melodi
Text: Anders Fryxell, 1795–1881

Ack, Värmeland du sköna
du härliga land
du krona bland Svea rikes länder.
Och komme jag än mitt i det
förlovade land
till Värmland jag alltid återvänder.
Ja, där vill jag leva,
ja, där vill jag dö.
Om en gång ifrån Värmland
jag tager mig en mö
så vet jag att aldrig jag mig ångrar.

FLICKORNA FRÅN SMÅLAND
Musik: Fridolf Lundberg
Text: Karl Williams

På lingonröda tuvor och på villande mo,
där furuskogen susar, sussilull och sussilo,
där kan man se dem en och en och stundom två och två
på lingonröda tuvor komma dansande på tå.
Det är flickorna i Småland, det är flickorna från mon,
det är flickorna som vallmoblom och lilja och pion,
det är flickorna i Småland, sussilull och sussilo,
som går vallande och trallande på villande mo.

129. Tillsammans eller var för sig?

Lisbet är skild och tar ensam hand om sina två döttrar. Hon bor kvar i radhuset som hon och hennes före detta man köpte. Där har flickorna var sitt rum, och Lisbet har också ett eget rum.

Hennes pojkvän Björn är också skild, och han har också barn. Men han har inte hand om sin dotter. Han är en så kallad söndagspappa. Han har en trerumslägenhet, för han behöver ett extra rum åt sin dotter, när hon kommer och hälsar på.

Lisbet och Björn tycker om varandra och har samma intressen och samma smak. Men de har var sitt arbete, var sin bostad och var sin ekonomi. Naturligtvis är det billigare (och trevligare!) att bo tillsammans – man kan dela på hyran, man behöver inte var sin bil, maten blir billigare osv., och Lisbet och Björn vill gärna sälja sina bostäder och flytta till en stor villa i stället. Dessutom tycker de om varandras barn. Björn tycker om Lisbets flickor, och hon tycker om hans. Men barnen tycker tyvärr inte lika mycket om varandra. Det är inte så lätt att vara sams, när man är tre.

Björns flicka har många leksaker, och Lisbets flickor är avundsjuka på alla hennes dockor, men hon vill inte låna ut sina saker. Lisbets flickor får överhuvudtaget inte komma in i hennes rum, och hon får inte komma in i deras, och därför kan Lisbet och Björn bara träffas på helgerna, gå på picknick eller åka bil någonstans eller ta en promenad och sedan åka hem igen, var och en till sig.

§ 3:e PERSONS POSSESSIVPRONOMEN	
hans hennes deras sin sitt sina	"Sin" kan aldrig stå vid subjektet!

Sin (sitt, sina) syftar på subjektet i samma sats.

Där går Kalle med *sin* fru	subjektets, dvs. Kalles fru

Hans, hennes eller deras syftar på någon annan/något annat/några andra än subjektet.

Kalle har en underbar fru.	Inte subjektets, dvs. Nisses fru, utan någon annans,
Nisse tycker om *hans* fru.	dvs. Kalles fru.

I en subjektsfras måste man alltid använda hans, hennes eller deras.

Där går Kalle och *hans* fru	Här finns *två subjekt.* "Hans fru" kan vara Kalles fru eller någon annans fru.
Kalle hörde att *hans* fru kom.	Här har vi *två satser.* "Hans fru" är subjekt i bisatsen. Därför kan man inte säga "sin". "Sin" syftar på subjektet i *samma* sats och gäller inte *mellan* satserna.
De säger att hon tycker om *sin* man.	Här går det bra med "sin" för det syftar tillbaka på subjektet i samma sats.

Heter det **sin**, **sitt** eller **sina**? Titta på substantivet som kommer efter! Titta inte på subjektet!

Hon tycker om **sin** man.　　(**en** man)
De tycker om **sin** bil.　　　(**en** bil)

Hon tycker om **sitt** hus.　　(**ett** hus)
De tycker om **sitt** hus.　　(**ett** hus)
Hon tycker om **sina** barn.　(**flera** barn)
De tycker om **sina** barn.　(**flera** barn)

På bilden ser vi Jenny och … föräldrar. Hon har fest, och till den har hon bjudit … egna föräldrar. Mitt på bilden dansar hon med Jakob, som är … bror. Bakom dem dansar … föräldrar med varandra. De tycker att det är roligt att … barn har bjudit in dem på fest för en gångs skull. Jennys pappa är snart femtio, men … ungdomsdanser har han inte glömt. Han kommer ihåg vad snygg … fru var, när de träffades på skoldans i … skola. Nu ska de visa … barn, hur de dansade på … tid! I en stol sitter Jennys syster Fanny och ser på, när … syskon och föräldrar dansar. Hon och … syster brukar ofta ha fest för … vänner.

173

130. En språkbegåvning

Han talar tyska med sin fru,
franska med sin älskarinna,
italienska med sitt hembiträde.
Med sina barn talar han engelska
och med Gud latin.
Men drömmer,
det gör han fortfarande
på sitt modersmål.

 Vad säger de?

Jonas: Jag älskar mitt kära fosterland.
Han säger att han *älskar* sitt *kära fosterland.*

Britta: Jag gillar min nya bil.
Hon säger att hon *gillar* sin *nya bil.*

Erik: Jag ska ringa till min svåger ikväll.
Han säger att ...

Eva: Jag säljer aldrig mitt gamla hus.
Hon säger att ...

Jesper: Jag håller av mina föräldrar.

Maria: Jag och mina barn ska åka till Orsa på semester.

Gunnar: Jag och min bror ska åka och hälsa på hans fru.

Helen: Min man lyssnar aldrig på mig.

Mårten: Mina barn kommer hem till julen.

Doris: Jag ska byta mitt efternamn.

Greta: Vi ska hälsa på våra barn och deras vänner.

Ulla: Vi ska sälja vårt sommarställe.

Karin: Vi ska skicka vår nya adress till alla våra vänner.

Olof: Vår familj består av fem personer.

Claes: Vi grälar alltid med våra grannar.

Anna: Vårt klassrum är alldeles för kallt.

Max: Våra lärare ger oss för lite läxor.

Ludvig: Jag är duktigare än min bror.

Bostadsproblem

Fyll i sin/sitt/sina eller hans/hennes/deras! Lyssna sedan på bandet och hör om du har fyllt i rätt!

Idag kan det vara svårt för ungdomar i Sverige att få tag på en egen bostad. Örjan är 25 år och han är för gammal för att bo hemma hos ... föräldrar. Det tycker både han själv och ... föräldrar. ... flickvän Beata är lika gammal och hon bor tillsammans med ... mamma. ... föräldrar är skilda, och ... far bor i Sundsvall.

Örjan har en stor släkt, och det är tur, för när ... släktingar inte behöver ... lägenheter får han bo där. För något år sedan bodde han till exempel i ... kusins lägenhet, men nu är kusinen tillbaka igen.

Förra året bodde Örjan hos ... morbror i två månader och för tre månader sedan kunde han flytta in i ... farbrors lägenhet.

Denne hade nämligen fått ett stipendium för att studera i USA i två månader.

Men nu är alltså Örjan hemma igen hos … föräldrar, men om en månad flyttar … bror Torsten, och då får Örjan bo i … lägenhet i ett halvår. Sedan vill värden ha lägenheten. Ja, så där håller han på, och han är inte ensam. Det finns tusentals ungdomar utan egen lägenhet, särskilt i de stora städerna.

Och politikerna, vad gör de? De sover sött på … öron i … stora villor och lägenheter.

 Frågor:

Du som har en egen bostad.
Hur fick du tag på den?

Du som inte har någon bostad.
Hur tänker du skaffa en?

Alla: Vad kan man göra för att ordna fler bostäder till ungdomar?

DENNE / DENNA / DESSA

Örjan (**maskulinum**) fick bo hos sin morbror (**maskulinum**).
Denne hade fått ett stipendium.   denne = morbrorn
Jämför: Han hade fått stipendium.   han = Örjan

Beata (**femininum**) träffade sin faster (**femininum**).
Denna blev mycket glad.   denna = fastern
Hon blev mycket glad.   hon = Beata

Om det finns **två** maskuliner eller **två** femininer i en mening brukar man syfta tillbaka till subjektet med **han** eller **hon** och till objektet med **denne** eller **denna** (i skrift).
I talspråk använder man oftast **han** eller **hon** för både subjektet och objektet.

För plural gäller **de** och **dessa**: Hans och Greta vinkade av sina barn. **Dessa** (barnen) skulle åka bort på skollovet och **de** (Hans och Greta) var lite oroliga.

131. Orientering

En äng en söndagseftermiddag någonstans i Sverige. Där kommer en ung pojke springande ut ur skogen. Han har en blågul overall på sig, och om halsen har han en karta och en kompass hängande. Han stannar, flämtande, tittar på kartan, ser sig omkring och försvinner in i skogen igen. Aha, en orienteringstävling!

Orientering är en mycket populär sport i Sverige. Unga och gamla, kvinnor och män utövar den, och man har både SM och VM i orientering. Det finns tävlingar för familjer och för skolbarn, det finns nattorientering och stafetter, och tävlingar som pågår flera dagar och samlar 10 000-tals deltagare.

En tävling kan gå till så här: de tävlande samlas på en äng. Där får var och en ett deltagarkort och en karta av arrangörerna. På kartan har de markerat 10–12 kontrollstationer. De tävlande startar med någon minuts mellanrum och ska nu försöka hitta de där kontrollerna, springa dit, stämpla kontrollens nummer på deltagarkortet och sedan springa till nästa. Den som behöver minst tid för att hitta alla kontroller vinner.

Det är inte säkert att den snabbaste löparen alltid vinner. Det gäller att hitta väderstrecken, så att man inte springer åt fel håll, och att kunna räkna ut den snabbaste vägen, så att man inte fastnar i våta kärr eller måste klättra i branta berg. Över privata tomter och odlade åkrar får man naturligtvis inte springa. Det kanske lönar sig att stanna och ta sig en funderare i stället för att försöka läsa kartan springande.

En vanlig karta för orienterare visar

området i skala 1:15 000. Alla mått har alltså förminskats 15 000 gånger. På så sätt kan man räkna ut hur långt det är från en punkt till en annan. Med hjälp av kartans höjdkurvor kan man också räkna ut hur högt och hur brant ett berg är. Ju tätare kurvorna är, desto brantare är berget.

Tänk dig att det är natt! Du står vid en äng mitt inne i skogen. Runt omkring står träden svarta och tigande. Inte ett ljud hörs utom en ugglas hoande i fjärran. Var är alla dina medtävlare? Du lyser på kartan. Har du sprungit vilse? Ett sakta regn börjar falla. Du börjar springa igen, med vilt dunkande hjärta. Orientering är det härligaste som finns!

§ PRESENS PARTICIP

• där kommer en ung flicka spring**ande**   **adverb**, ofta med "kommer"
                                                hur kommer hon?

• om halsen har hon en karta och en kompass häng**ande** **adjektiv** (= som hänger)
• de tävlande samlas på en äng   **substantiverat adjektiv**
                                                (= tävlande personer)

• i stället för att försöka läsa kartan spring**ande** **adverb** (= medan man springer)
• runt omkring står träden svarta och tig**ande** **adjektiv**
                                                (= som står och tiger)

• utom en ugglas ho**ande** i fjärran   **substantiv**,
                                                ofta abstrakt och alltid neutrum

• med vilt dunk**ande** hjärta   **adjektiv**

Presens particip har bara *en* form, kan alltså inte böjas.
Presens particip kan vara olika ordklasser och satsdelar.
Som substantiv i neutrum kan det förstås böjas i pluralis:
ett hoande   många hoanden
(som: ett äpple   många äpplen)

Hur bildar man presens particip?

			Exempel:
Lägg till	**–ande**	(efter konsonant) till stammen = imperativformen	spring/ande
	–ende	(efter annan vokal än -a)	bo/ende
eller	**–nde**	(efter -a) till stammen = imperativformen	tävla/nde

 Lutande tornet i Pisa
Skriv ner rätt form av presens particip!

lutar	Har du sett det ... tornet i Pisa?
flyger	Tror du på ... tefat?
leker	Bilister måste se upp med ... barn.
springer	Det var ett väldigt ... här!
visslar	Han gick ... förbi.
vet	Hennes ... är verkligen stort.
meddelar	Finns det något ... till mig?

beter (sig)	Psykologerna undersöker människans ... .
tror	Han är djupt ... .
ler	Hon gav mig ett vackert ... .
drömmer	Han gick ... genom livet.
lönar (sig)	Det är en ... verksamhet.
cyklar	De kom ... på den gamla vägen.
lever	Han har ett ... intresse för språk.

Fakta

SVENSKA MEDALJER
Olympiska sommarspelen 1896–2000

Idrott	Guld	Silver	Brons	Totalt
Brottning	28	27	27	82
Friidrott	15	22	43	80
Skytte	15	23	43	81
Simning	14	22	22	58
Ridsport	17	8	14	39
Segling	9	12	10	31
Kanot	14	10	4	28
Mod. femk.	9	7	5	21
Cykel	3	2	8	13
Boxning	–	5	6	11
Gymnastik	5	2	1	8
Gång	3	3	2	8
Fäktning	2	3	2	7
Tennis	–	2	5	7
Tyngdlyftn.	–	–	4	4
Fotboll	1	–	2	3
Dragkamp	1 1/2	–	1	2 1/2
Rodd	–	2	–	2
Bågskytte	–	1	–	1
Bordtennis	2	1	2	5
Handboll	–	3	–	3

(Källa: SOK 2000)

Olympiska vinterspelen 1924–1998

Idrott	Guld	Silver	Brons	Totalt
Skidor	25	19	19	63
Skridsko	7	4	5	16
Konståkning	5	3	2	10
Ishockey	1	2	4	7
Skidskytte	1	–	4	5
Curling	–	–	1	1

DE TIO STÖRSTA TÄVLINGSIDROTTERNA I SVERIGE HÖSTEN 1999

Tävlingsgren	Antal utövare	Tävlingsgren	Antal utövare
1. fotboll	569 900	6. ishockey	194 900
2. golf	283 900	7. gymnastik	194 100
3. innebandy	272 300	8. handboll	153 200
4. friidrott	256 300	9. cykel	143 000
5. skytte	237 400	10. bilsport	138 800

(Källa: Riksidrottsförbundet 2000)

132. Att fiska är en livsstil

En sportfiskare är en människa – man eller kvinna – som fiskar på fritiden. Hon lever inte av att fiska, men hon älskar det.

I Sverige finns det 3,4 miljoner sportfiskare – så populärt är det att fiska. I hela landet finns det ungefär 100 000 insjöar, så det är inte svårt att hitta en egen fiskeplats, och dessutom kan man nu fiska längs Östersjökusten eller på Västkusten.

Vem som helst kan fiska, men inte riktigt var som helst eller när som helst. Man måste köpa ett fiskekort (det kostar mellan 10 och 500 kr att fiska i ett visst område under tre månader), och det gäller inte hela året. Det är till exempel förbjudet att fiska på våren.

Men på vintern går det bra! Det är mycket spännande att borra ett hål i isen och sitta mitt ute på sjön och fiska genom det.

Idag är tyvärr fisken borta från många sjöar, och det kan vara farligt att äta vissa fiskar, t.ex. gädda. Men samtidigt går det att fiska mitt inne i Stockholm; där kan man få både lax och strömming.

Är det en bra affär att fiska själv i stället för att köpa fisken i fiskaffären? Tja, det är inte så lätt att säga, men det är svårt att hitta färsk fisk numera; många affärer säljer nästan bara djupfryst fisk.

Men att åka till Lappland på semestern och fiska öring – är det lönsamt? Javisst! Man måste förstås köpa ett kastspö och olika drag och lämpliga kläder, och det är inte billigt, men pengar är inte allt. Tänk att stå alldeles ensam mitt ute i en strömmande älv en tidig morgon i juni!

Att vara sportfiskare är inte en fråga om pengar – det är en livsstil!

(Källa: Sveriges Sportfiske- och Fiskevårdsförbund, 2000)

§ INFINITIV SOM SATSDEL

subjekt	predikat		subjekt	predikat	
att fiska	är populärt	=	det	är populärt	att fiska
att fiska själv	är svårt	=	det	är svårt	att fiska själv

men i frågor endast:

	predikat	subjekt	
	är	det	svårt att fiska själv?

Frågor:
Titta inte på texten!
Försök att svara på frågorna!

1. Hur många fritidsfiskare finns det i Sverige?
2. Hur många insjöar finns det i Sverige?
3. Får man fiska längs Östersjökusten?
4. Får vem som helst fiska?
5. Går det bra att fiska på våren?
6. Vad måste man köpa för att få fiska?
7. Hur kan man fiska på vintern i Sverige?
8. Vilken fisk kan man fånga i Stockholm?
9. Vilken sorts fisk hittar man ofta i affärerna?
10. Vad måste man ha, när man fiskar?
11. Är det lönsamt att fiska?
12. Tycker du om att fiska? Varför? Varför inte?

Gör om meningarna på följande sätt:
Exempel: Det är lönsamt att fiska.
Att fiska är lönsamt.

1. Det är populärt att fiska.
2. Det är inte svårt att hitta en egen fiskeplats.
3. Det går numera bra att fiska längs Västkusten.
4. Det kostar ungefär 50 kronor att köpa ett fiskekort.
5. Det är förbjudet att fiska på våren.
6. Det är spännande att borra ett hål i isen.
7. Det kan vara farligt att äta vissa fiskar.
8. Det är inte någon bra affär att fiska själv.
9. Det är inte en fråga om pengar att vara fritidsfiskare.

FRASER

var som helst	**vad** som helst	det är tillåtet
när som helst	**hur** som helst	det är populärt
vem som helst	det är förbjudet	det är svårt
		det är lätt

133. En intervju med Astrid Lindgren

Sveriges mest kända författare – det är nog Astrid Lindgren, det. Alla svenska barn känner till Pippi Långstrump, Emil i Lönneberga, Karlsson på taket, Ronja Rövardotter, Bröderna Lejonhjärta ... och många barn i utlandet också.

Kristina, som är journalist på en barn-tidning, har skrivit och bett om en intervju med Astrid Lindgren, och nu har hon fått lov till en halvtimmes intervju.

Vad ska hon fråga om? Först och främst tänker hon fråga var Astrid Lindgren är född och hur hennes barndom var.

Hon vill veta vem som har betytt mest för henne och vad som gjorde att hon blev författare.

Sedan ska hon fråga om hon skriver om sin egen barndom eller ej, om hon skriver om verkliga människor eller om hon har hittat på alla figurer, och om Astrid Lindgren var likadan som Pippi, när hon var liten (inte lika stark,

förstås, men lika busig).

Hon måste ta reda på hur hon får idéer till sina böcker och vilken bok hon själv tycker bäst om, och hon undrar också vad Astrid Lindgren tycker om alla filmer som man har gjort på hennes böcker. Sist tänker hon fråga hur det känns att vara så berömd.

Det räcker nog för en intervju på 30 minuter.

 Du ska intervjua en berömd idrottsman (politiker, filmstjärna, popartist, konstnär, vetenskapsman etc.). Vem väljer du? Vad ska du fråga om?

Skriv upp några frågor och berätta för klassen, så här:
Exempel: Jag tänker fråga om vad X tycker om, vilken bok X läser just nu, vad som har betytt mycket för X etc. Utför sedan intervjun! En annan elev är personen som du vill intervjua.

§ SUBJEKTET I UNDERORDNADE FRÅGESATSER

	1 FRÅGEORD	2 SUBJ	3 VERB	4 OBJ	5 ADV
	vem	hon	tycker om	-	
	vem	**som**	har sagt	det	–
Han undrar	vad	hon	köpte	–	–
	vad	**som**	har hänt	–	–
	vilken dag	hon	kommer	–	hit
	vilken film	**som**	är bäst	–	just nu

181

134. Astrid Lindgren

Astrid Lindgren föddes utanför Vimmerby i Småland år 1907. Där bodde hon på en gård med mor och far, tre syskon och många drängar och pigor. "Och så hade vi föräldrar som tyckte så mycket om varandra", berättar hon. "Pappa var kär i mamma ända sedan skolan och hela livet ut. Han sa det till henne också, och varje dag såg vi honom stå och hålla om mamma." Astrid Lindgren berättar inte direkt om sin egen barndom i sina böcker, men hon har fått många idéer från historier som hennes far berättade för henne. Hon säger att hon har repliker i huvudet som har sagts av människor för 100 år sedan, som hon aldrig har träffat. "Men de lever kvar i mig, för pappa har berättat om dem."

Ett exempel är rumpnissarna i *Ronja Rövardotter* och deras eviga fråga "Voffor gör ho på detta viset?". Så brukade en förvirrad stackars gumma på fattighuset säga därhemma i Småland.

Astrid Lindgren säger, att hon fortfarande är ett barn längst inne. "Jag var väl som Pippi – jag ville hellre vara barn än vuxen." Men annars var hon ett snällt barn och inte alls särskilt Pippi-aktig; snarare liknade hon barnen i Bullerbyn.

"Visste du att du skulle bli författare, när du var liten?" frågade jag. "Jag visste att jag inte ville bli det!" svarar Astrid Lindgren. Hon var bra på uppsatsskrivning i skolan, och alla sa jämt: "Du kommer att bli författare!" Men det skrämde henne, så hon skrev ingenting förrän hon hade hunnit bli 37 år.

Pippi Långstrump hittade hon på när hennes dotter var sjuk och ville höra någonting roligt, och Emil i Lönneberga kom till när ett av hennes barnbarn var ledset och behövde tröst. "Kom ska jag berätta vad Emil i Lönneberga gjorde en gång!" sa Astrid, och så började det!

Av alla de 33 böcker som Astrid Lindgren har skrivit tycker hon nog bäst om Emil (som för övrigt påminner om hennes egen pappa).

Många av hennes böcker har blivit film – en del bra, andra mindre bra. Nästan alla hennes böcker finns i översättning till engelska, tyska, franska, ryska, ja till och med japanska och kinesiska. Därför får Astrid Lindgren brev från läsare från hela världen, så många att hon måste anställa en sekreterare för att svara på alla brev!

Har du läst någonting av Astrid Lindgren? Vad hette boken? Vad handlade den om? Läste du den i översättning eller på svenska? Har du sett någon av hennes filmer? Berätta!

135. Asa-Tor och de gamla nordiska gudarna

På 800- och 900-talen var nästan alla folk i Europa kristna; bara de nordiska folken var fortfarande hedningar. Deras gudar brydde sig inte om präster eller böner eller psalmer, de tyckte bäst om kamp och strid, och de krävde blodiga offer av människorna.

I Uppsala hade man byggt ett stort tempel som vi känner till från en tysk skildring från 1000-talet. I templet fanns tre stora statyer av de tre gudarna Oden, Tor och Frej. Det var svearnas tre viktigaste gudar, och deras namn finner vi i namnen på veckodagarna onsdag, torsdag och fredag.

Oden var krigets gud. Till honom offrade vikingarna för att få lycka i striden. Oden kunde hjälpa en krigare och ge honom övernaturliga krafter, men han kunde plötsligt svika honom också. Men den som föll i strid kunde få komma till Oden på hans gård Valhall.

Oden ville ha människooffer, han var de hängdas gud. Oden var också vishetens gud. Han var mästare i all sorts trolldom och kunde förvandla sig till vad som helst. Han hade två korpar som han hade lärt att tala, och de flög över hela jorden och berättade allt som de såg och hörde.

Bland de germanska folken var Oden den mäktigaste guden, utom bland svearna där Tor var populärast. Det är honom vi ser på bilden. Han var väldig, med stort, rött skägg och blixtrande ögon, lättretad och fruktansvärt

stark. I handen håller han hammaren Mjölner, som alltid kommer tillbaka till honom, när han har kastat den.

Tor är människornas vän. Han är alltid ute i krig mot de onda makterna, mot jättar och troll som hotar gudarnas och människornas värld. När han åker över himlen dundrar det, och när han slår med hammaren blixtrar det över hela himlen. Det åskar (as akr = åsen, dvs. guden, åker). Hans största fiende var den väldiga Midgårdsormen, som låg på botten av havet och slingrade sig runt hela jorden.

Frej var fruktbarhetens gud. Till honom skulle man offra tjurar och hingstar. Han hade en syster, Freja, som också härskade över liv och död, över kärlek och barnafödande.

Det fanns många fler gudar än de här tre (t.ex. Tyr; namnet finns kvar i tisdag). Självfallet var de släkt på långt håll med de romerska och grekiska och kanske också de indiska gudarna, men i Norden fick de annorlunda egenskaper, sådana som passade den våldsamma och heroiska vikingatiden.

136. Östersjön hotad!

Östersjön är ett känsligt hav. Den enda kontakten med världshaven sker genom de smala och grunda danska sunden, bl.a. Öresund. Därför tar det lång tid – ca 30 år för vattnet i Östersjön att bytas ut. Den långsamma vattenomsättningen ökar risken för syrebrist i de djupare delarna av havet. En annan följd är att effekterna av de föroreningar, som tillförs från de ca 70 miljoner människor som bor runt Östersjön, blir allvarligare än effekterna av motsvarande tillförsel till de stora världshaven.

Många östersjölevande djur minskade kraftigt i antal under den senare delen av 1900-talet. Dock har situationen förbättrats under de senaste två decennierna. Ett exempel är gråsälen. I början av seklet levde där cirka 100 000 gråsälar. I början av 1990-talet återstod bara ungefär 3 000, men år 2000 uppgick siffran till 10 000. Ett annat exempel är havsörnen som drabbats hårt. För ett trettiotal år sedan var den så gott som utrotad, men den är idag på väg att återhämta sig. Gemensamt för gråsäl och havsörn är att deras förmåga att reproducera sig kraftigt minskat. Ett av skälen har visat sig vara förekomsten av PCB, DDT och andra klororganiska föreningar, orsakade av bl.a. pappers- och massaindustrierna.

Övergödningen är ett stort problem. Den orsakas av för riklig tillförsel av framför allt kväve men också av fosfor. En stor del av kvävet kommer från jordbruket och biltrafiken. Mycket av fosforn tillförs från de städer runt havet som saknar moderna reningsverk. Den ökade tillgången på dessa ämnen gör att mängden planktonalger ökar kraftigt. När dessa bryts ned, förbrukas stora mängder syre, och det blir risk för syrebrist. De naturliga förutsättningarna för syretillförsel i kombination med den ökade belastningen av kväve och fosfor har medfört att ca 1/4 av Östersjöns bottnar nu är syrefria och därmed utan djurliv.

Ytterligare ett hot är utsläppen av metaller, t.ex. kadmium, kvicksilver, bly och zink. Metaller är grundämnen och bryts därför inte ned utan lagras i sediment och organismer och ökar i mängd från år till år. Slutligen drabbas Östersjön relativt ofta av större eller mindre oljeutsläpp, vilket bl.a. medför sjöfågeldöd och nedsmutsade stränder. Östersjön innehåller betydligt mer oljeföroreningar än världshaven.

Östersjön betecknas som ett av världens mest förorenade hav. Trots detta dystra faktum finns det ljusglimtar som inger hopp inför framtiden. Under senare tid har klorutsläppen från många av massaindustrierna minskat. Gråsäl och havsörn har sedan åttiotalet långsamt ökat i antal. Det är bara en inledning på den stora satsning som krävs, om Östersjön ska bli renare. Vad som fordras för att minska utsläppen är bl.a. moderna reningsverk i de länder där sådana saknas, minskad användning av gödningsmedel och kemikalier i jordbruket samt effektivare rening av bilarnas utsläpp.

(Källa: Gisela Holm, Institutet för Vatten- och Luftvårdsforskning, 1991 samt Riksmuseet och Stockholms universitet 2000)

 Vilka länder gränsar till Östersjön?

§ PASSIV MED -S

passiv	aktiv	hur gör man passiv?
Utsläppen måste **minskas**.	Man måste **minska** utsläppen.	**infinitiv** +s
De bara **lagras**.	Man bara **lagrar** dem.	**presens -(e)r** +s
DDT **användes** mycket på 50-talet.	Man **använde** mycket DDT på 50-talet.	**preteritum** +s
Det har **förbjudits**.	Man har **förbjudit** det.	**supinum** +s

Passiv används ofta när man inte är så intresserad av eller inte vet precis **vem** som gör, gjorde eller har gjort något. Om man förvandlar en passiv sats till aktiv blir subjektet ofta "man".

Det finns några verb som alltid slutar på -s och som inte är passiva.
De verben kallas **deponens**.

Exempel:
Fiskarna trivs i vattnet.
De andas med gälar.
Vi hoppas att det går bra.

137. Janssons frestelse

– Har du någonsin ätit svensk mat?

– Nej. Finns det någon speciell svensk mat? Smörgåsbord kanske?

– Jadå. Knäckebröd, sill, lax, räkor, köttbullar…

– Och brännvin! Det har jag smakat en gång! Det var hemskt!

– Det kan jag förstå. Vill du lära dig laga en svensk rätt?

– Ja, gärna. Vad då?

– Då ska jag lära dig laga Janssons frestelse! Så här gör man.

Sedan smörjer man ett eldfast fat eller en låg, vid form och så lägger man i potatis, ansjovis och lök och sist potatis igen. Man häller på hälften av grädden, och sedan strör man ströbröd över alltihop och stoppar in det i ugnen (200–225 grader).

När potatisen är mjuk (efter ca 40 minuter), tar man ut formen och häller på resten av grädden och ställer in den igen. Efter 10 minuter är frestelsen klar.

Smaklig måltid!

 Skriv receptet i imperativform:

Sätt på ugnen!
Skala potatisen och löken!
Fortsätt själv!

 Eller i passiv form:

Potatisen och löken skalas och … i tunna skivor.
Löken kan sedan … lätt i lite margarin.
Potatisen, löken och ansjovisen … ner i en form.
Hälften av grädden … på och ströbröd … över alltihop och sedan … formen in i ugnen.
Efter ca 40 minuter … formen ut och resten av grädden … på och sedan … formen in igen.

Man behöver:
8–9 potatisar
2 gula lökar
10 ansjovisar
3 dl grädde eller mjölk
ströbröd
2 matskedar margarin eller smör

Först sätter man på ugnen. Sedan skalar man potatisen och löken. Man skär potatisen i fina strimlor och löken i tunna skivor. Därefter kan man steka löken lätt i litet margarin.

138. Sveriges 1900-talshistoria

Några viktiga årtal

1901 Värnpliktsarmé införs.

1902 Strejk för rösträtt.

1905 Unionen mellan Sverige och Norge upplöses.

1909 Storstrejk. Allmän rösträtt för män.

1914 Bondetåget stöder kungens försvarspolitik.

1920 Motboken införs. Åtta timmars arbetsdag genomförs.

1921 Allmän rösträtt. Dödsstraffet avskaffas.

1931 Sammanstötning i Ådalen mellan militär och strejkande. *(ovan)*

1932 Kreugerkraschen.

1939 Samlingsregering.

1945 Samlingsregeringen upplöses.

1946 Sverige inträder i FN.

1952 Religionsfrihet införs.

1953 Dag Hammarskjöld generalsekreterare i FN.

1955 Motboken avskaffas.

1957 Folkomröstning om allmän tjänstepension.

1958 Kvinnor får rätt att bli präster. *(t.h.)*

1959 EFTA bildas.

1960 Omsättningsskatt införs (4 %).

1962 Beslut om grundskola fattas.

1963 Wennerströmaffären.

1967 Högertrafik genomförs den 3 september.

1969 Tage Erlander avgår som statsminister efter 23 år och efterträds av Olof Palme.

1971 Ny riksdagsordning. Tvåkammarriksdagen ersätts med enkammarriksdagen.

1973 Carl XVI Gustaf blir kung.

1976 Borgerlig majoritet för första gången på 44 år. Lagen om medbestämmande, MBL, antas.

1980 Omröstning i kärnkraftsfrågan. Kvinnlig tronföljd införs.

1982 Socialdemokraterna återtar makten. Olof Palme statsminister.

1986 Olof Palme mördas på öppen gata.

1994 M/S Estonia går under en stormig höstkväll och nära 900 människor omkommer.

1995 Sverige går med i den europeiska unionen (EU).

1999 Stockholm kallas världens IT-huvudstad.

2000 Öresundsbron invigs.

139. Årtal på väg mot det jämlika samhället

Här följer årtal som vart och ett på sitt sätt är viktigt i kvinnorörelsens historia. Med något enstaka undantag har de kommit i fel ordning. Kan du rätta till ordningsföljden?

1. *För första och hittills enda gången gick riksdagens samtliga kvinnliga ledamöter samman i motioner som krävde lika lön för lika arbete i statlig tjänst. Motionerna behandlades av riksdagen året efter det andra världskriget slutade.*

2a. *Ett år efter Koreakrigets utbrott utfärdades ILO-konventionen (nr 100) om lika lön för lika arbete.*

2b. *Därefter dröjde det elva år innan Sverige ratificerade (= godkände) konventionen.*

3. *Sverige var näst sist bland de nordiska länderna med att införa en jämställdhetslag. Den trädde i kraft samma år som FN:s kvinnokonferens hölls i Köpenhamn.*

4. *Samma år som våldtäkt inom äktenskapet blev ett brott utfördes den konstnärliga utsmyckningen av Östermalms tunnelbanestation i Stockholm av konstnären Siri Derkert.*

5a. *Den allmänna folkskolan gav flickor samma möjlighet som pojkar att gå i skolan. 17 år efter att riksdagen infört folkskolan fick kvinnor samma rätt som män att bli folkskollärare – men mot lägre betalning.*

5b. *Ett år innan sistnämnda år blev ogift kvinna myndig i ekonomiska frågor från 25 års ålder.*

6a. *Samma år som Sverige blev medlem i Nationernas Förbund ändrades äktenskapslagstiftningen. Kvinnan och mannen skulle i princip vara jämställda; mannens målsmanskap och husbondevälde över hustrun upphävdes.*

6b. *Det skulle dock dröja ytterligare 30 år innan den gifta kvinnan blev förmyndare för sina barn.*

7. *Fyra år efter första världskrigets slut (dvs. vapenstillestånd) fick kvinnor för första gången ta plats i Sveriges riksdag. De fem invalda var Kerstin Hesselgren, Elisabeth Tamm, Nelly Thüring, Bertha Wellin och Agda Östlund.*

8. *Samma år som första världskriget bröt ut invaldes Selma Lagerlöf i Svenska Akademien, som bl.a. utser nobelpristagare i litteratur. Fem år tidigare hade hon själv fått detta pris.*

9. *Fyra år innan Selma Lagerlöf fick nobelpriset gick ett nobelpris första gången till en kvinna. Det var Bertha von Suttner från Österrike som fick Nobels fredspris för sitt pacifistiska arbete.*

10. *Fem år efter det att Sverige infört nytt mått- och viktsystem (med meter, kilo, liter etc.) kallades Sonja Kowalevskij till en professur i matematik vid Stockholms Högskola. Hittills är hon den enda kvinna som varit professor i detta ämne i Sverige.*

11. *Samma år som president Johnson fick amerikanska kongressens fullmakt att föra krig i Vietnam kriminaliserades våldtäkt inom äktenskapet i svensk rätt.*

12. *En månad innan andra världskriget bröt ut simmade långdistanssimmerskan Sally Bauer över Engelska kanalen på 15.22 timmar.*

(Källa: Anita Dahlberg, Centrum för kvinnoforskning, Stockholms universitet, 1991)

8. 1914 resp 1909, 9. 1905, 10. 1878 resp 1883, 11. 1965, 12. 1939.
5b. 1858, 6a. 1920, 6b. 1950, 7. 1918 resp 1922,
1. 1946, 2a. 1951, 2b. 1962, 3. 1980, 4. 1965, 5a. 1842 resp 1859,

Britta: Ja, det är nästan så att man blir f-d, när man läser det här! Att det går så långsamt!

Owe: Och jag läste i tidningen att det är färre och färre flickor som söker till naturvetenskaplig och teknisk utbildning, trots att skolan försöker uppmuntra på olika sätt.

Britta: Ja, vad beror det på att det är så svårt att ändra på könsrollerna? Förresten, du har ju en dotter. Vad har hon tänkt att studera?

Owe: Franska. Och din då?

Britta: Konsthistoria ...

Diskutera jämlikhet!
Bör män och kvinnor alltid kunna göra samma saker, alltid få samma lön för samma arbete, alltid ha samma rättigheter, alltid kunna söka samma utbildning etc.?

140. Svenska universitet

Sveriges äldsta universitet

Uppsala universitet	1477
Lunds universitet	1668
Stockholms universitet	1878
Göteborgs universitet	1891
Umeå universitet	1963
Linköpings universitet	1975

Universitetet i Uppsala grundades alltså 1477 och är Sveriges äldsta universitet. Men vilket universitet kom efter Uppsala? Det är en så kallad kuggfråga. För det universitet som grundades 1632 och som alltså var det andra universitetet i Konungariket Sverige låg i Dorpat (Tartu i nuvarande Estland). På den tiden hörde såväl Estland som Lettland och Finland och några områden i Tyskland till stormakten Sverige.

Man kan säga att Sverige sträckte sig från öster till väster. Först efter 1809, då Sverige förlorade Finland, fick Sverige sin nuvarande sträckning från norr till söder.

När universitetet i Lund skapades hade Skåne just införlivats med Sverige och universitetet kom säkert till för att försvenska Skåne.

Antalet universitet och högskolor har ökat markant under de senaste tio åren. För närvarande finns det omkring 50 lärosäten i Sverige och skillnaden mellan universitet och högskola minskar. Några högskolor som nyligen blivit uppgraderade till universitet är Växjö, Örebro, Karlstad och Luleå.

141. Alkohol

Det är svårt att få tag på alkohol i Sverige. Alkohol får till exempel bara säljas i särskilda, statliga butiker som drivs av Nya System AB. Butikerna kallas kort och gott Systembolaget eller Systemet. I livsmedelsaffärer får man bara sälja öl med låg alkoholhalt (s.k. lättöl och folköl).

Alkohol får inte säljas till ungdomar under 20 år. Systembolaget är stängt på söndagar. Det är förbjudet att göra reklam för alkohol. Det är regeringen som bestämmer priset på alkohol. 60–70 procent av priset utgörs av skatt.

En restaurang som vill servera vin eller starksprit, måste ha tillstånd. Det får man bara på vissa villkor, till exempel att standarden är tillräckligt hög, eller att det inte finns för många restauranger i samma område. Man får inte sitta var som helst och dricka alkohol, t.ex. på en parkbänk.

Trots dessa lagar, eller kanske på grund av dem, tycks svenskarna ha problem med spriten. Hur kan det komma sig? Är det för att det är så svårt att få tag på alkohol? Är det klimatet? Är det något typiskt nordiskt?

 Har du förstått texten?

1. Var får man sälja alkohol?
2. Vilken typ av öl får säljas i livsmedelsaffärer?
3. Får en 18-åring köpa alkohol?
4. När är Systemet öppet?
5. Var får man göra reklam för alkohol?
6. Vem bestämmer hur mycket vin och sprit får kosta?
7. Får alla restauranger servera sprit?
8. Får man dricka alkohol ute på stan?

 Fakta

Konsumtion av alkoholhaltiga drycker (liter per invånare och år, 1998)

	öl	vin	sprit
Sverige	57,3	14,6	1,0
Norge	52,6	8,5	0,8
Danmark	105,0	29,1	1,1
Finland	80,1	15,2	2,2
Island	40,1	7,2	1,3
Frankrike	38,6	58,1	2,4
Tyskland	127,4	22,8	2,0
Polen	41,0	5,9	3,4
Ungern	59,3	29,0	3,1
Turkiet	14,4	0,7	0,4
Japan	50,0	1,8	2,3
Nya Zeeland	84,7	16,1	1,5

(Källa: World Drink Trends, 1999)

142. Skål!

KLIRR!
Tore reser sig upp och klingar med
kniven mot glaset:

"Kära vänner!" säger han.
"Får jag föreslå att vi skålar
för vår kära värdinna?
Det finns ingen som bjuder
på så härliga middagar som hon.
Skål för Dagny!"

Alla skålar med varandra, och de
som inte dricker brännvin skålar i lättöl eller
juice.

"Nej, nu tar vi en nubbevisa!" föreslår någon.
"Helan går!" Och alla sjunger med.

Sedan börjar någon en annan nubbevisa, t.ex.
den här:

HELAN GÅR
Folklig anonym visa

"Helan går, sjung hopp faderej faderallan lej!
Helan går, sjung hopp faderallan lej!
Och den som inte helan tar, han heller inte
halvan får.
Helan gåååår!"

Och nu dricker man och så fortsätter sången:

"Sjung hopp faderallan lej!"

TILL NUBBEN
Melodi: Vi gå över daggstänkta berg

"Till nubben så tuggar man sill, fallera,
för resten kan man tugga vad man vill, fallera.
Och om man är oviss, om sillen är ansjovis
ja då tar man en nubbe till, fallera!
Skål!"

"Skål!" ropar alla i munnen på varandra.

För eller emot alkohol?

Alkoholen har länge varit ett problem i Sverige. Mellan 1920 och 1955 fick en vuxen svensk bara köpa två liter sprit i månaden, och inköpen skrevs upp i en särskild bok som man måste ha med sig – den så kallade motboken. Många människor vill göra det svårt att köpa alkohol, andra vill göra det lätt. Det finns många argument för och emot.

Diskutera med dina kamrater! De som håller med om påståendena nedan helt och hållet ställer sig längst till höger, de som håller med om några men inte alla ställer sig mer mot mitten och de som inte håller med om någonting ställer sig längst till vänster!

- En sup på morgonen är bra för magen.
- Alkohol är bra, när man fryser.
- Man borde kunna köpa alkohol var som helst.
- Man blir glad och får bättre självförtroende av alkohol.
- Man kör bil bättre med lite alkohol i kroppen.
- Staten tjänar mycket pengar på alkoholisterna.
- Man borde sänka åldersgränsen för inköp av alkohol till 18 år.
- Att få dricka alkohol är en rättighet.

 Fyll i lämpliga passivformer i luckorna! Tänk på tempus!

betalar	Pengarna … av försäkringskassan.
hämtar	Pengarna kan … på Posten.
sätter	Pengarna kan … in på mitt bankkonto.
skickar	Löneavin … per post.
upptäcker	Amerika … 1492 av Columbus.
serverar	Middagen … klockan sju idag.
bestämmer	Det har … i riksdagen.
säljer	Kläderna … på auktion förra veckan.
diskuterar	Frågan ska … ikväll.
öppnar	Utställningen … av kungen igår.
mottager	De … av påven i söndags.
applåderar	Hennes prestation … .
krossar	Hans drömmar … .
bygger	Huset har … på rekordtid.
säljer	Boken ska börja … nu på måndag.
ser	Programmet … av flera miljoner.
skriver	Det här brevet har … i all hast.
stänger	Dörren … mitt framför näsan på honom.
stänger	Se upp. Dörrarna …!
läser	Svenska … vid många universitet.

143. Vad saknar du?

- Du har varit borta från Sverige i ... hur många år är det nu?
- Ja, det blir tio år till hösten.
- Och du har inte varit hemma någon gång?
- Jo, jag var hemma för fem år sedan på sommarlovet. Det var underbart. Den svenska sommaren är verkligen något som jag saknar.
- Är det något annat du saknar?
- Ja, det är en sak och det är svensk mat. Till exempel färsk nykokt potatis och inlagd sill ... och så en liten snaps till! Gärna hembränt och kryddat med kummin eller johannesört.
- Ja, det låter gott. Något annat?
- Ja, mammas hembakade bullar får man ju inte här och inte hennes köttbullar heller. Hon gör så väldigt goda köttbullar. Och till julen! Vi brukar äta ugnsbakad skinka, lutfisk, gravad lax, stuvad potatis, rökt ål, olika sorters sill och så dricker vi öl och renat.
- Jag blir riktigt hungrig!
- Och sen saknar jag enkla saker, som grillad korv till exempel, när man är på hemväg från bion. Och om sommaren att gå ut och fiska och sen komma hem och äta stekt abborre och som efterrätt nyplockade hallon med vispgrädde.
- Mmmm, det är som poesi ...
- Jo, men jag såg att Hedvig hade köpt grillad kyckling idag och så ska vi få fyllda avokador till förrätt. Det blir väl gott? För du stannar väl till middag?
- Ja, tack, gärna. Det låter gott. Nästan lika gott som svensk mat.

§ PERFEKT PARTICIP (för svaga verb)

I obestämd form
verbstam + d (+t / + a)

grillad korv	vi har grillat den	stam + d	perfekt particip
stekt abborre	vi har stekt den	d >	t efter k (p, s och t)
kryddat brännvin	vi har kryddat det	ett-ord	+ t (som adjektiv)
nybryggt kaffe	vi har bryggt det	ett-ord	+ t (som adjektiv)
fyllda avokador	vi har fyllt dem	plural	+ a (som adjektiv)
hembakade bullar	vi har bakat dem	a >	e efter obetonad stavelse med a

Perfekt particip fungerar som ett adjektiv och böjs som ett adjektiv.
Om du kan cirka 500 verb (transitiva), kan du nu femhundra nya adjektiv.

I bestämd form

	jämför med adjektiv
den stekta abborren	den goda abborren
det nybryggda kaffet	det starka kaffet
de stekta abborrarna	de goda abborrarna
de grillade korvarna	slutar på e efter obetonad stavelse på a

SAMMANFATTNING
obestämd form

	adjektiv	perfekt particip	kommentar
en-ord	stor	stängd	stam + d
ett-ord	stort	stängt	d + t = t (man kan inte skriva - dt)
plural	stora	stängda	
plural	stora	grillade	e efter obetonad stavelse med a

bestämd form

en-ord	den stora	den stängda
ett-ord	det stora	det stängda
plural	de stora	de stängda
plural	de stora	de grillade	e efter obetonad stavelse med a

Gör egna meningar!

Exempel: Vad härligt med nybakade bullar!
Mmmm, stekt abborre! Vad gott med inlagd sill!

baka/potatis	Det ska smaka gott med ….
stek/gädda	Ingenting är så gott som ….
stuva/makaroner	Tycker du inte om …?
brygg/kaffe/ny★	Vad gott det doftar om …!
krydda/brännvin	Till sill ska man ha ….
stuva/morötter	… är verkligen gott!
stuva/svamp	Vill du ha lite mer …?

halstra/abborre	Har du ätit …?
grava/lax	… är underbart gott.
stek/fläsk	… och bruna bönor är så svenskt.
hacka/lök	… ska man ha till pannbiff.
djupfrys/hallon	Det är vansinnigt gott med ….
baka/bröd/ny★	Det doftar så gott om ….
grädda/våfflor/ny★	… äter man på Vårfrudagen.
grilla/korv	En … med bröd, tack!

★ Fråga läraren!

144. Vad skulle du göra, om du vann?

Intervju med Emelie, snart 15 år

Intervjuaren: Vad skulle du göra, om du vann en miljon kronor?

Emelie: Jag skulle sätta in en del på banken, och en del skulle jag köpa aktier för, och en del skulle jag skänka till Amnesty och Världsnaturfonden, och lite skulle jag ge till mamma och pappa.

Intervjuaren: Men om du vann 100 000 då?

Emelie: Då skulle jag bjuda mina föräldrar på en resa jorden runt, och jag skulle följa med själv också. Resten skulle jag spara.

Intervjuaren: Om du vann 10 000 i stället då?

Emelie: Då skulle jag köpa en video och en stereoanläggning. Och så skulle jag köpa skivor för resten.

Intervjuaren: Om du vann 1 000 kronor då?

Emelie: Ja, då skulle jag nog köpa kläder för alltihop. Ett par skor, ett par snygga byxor, en skjorta och lite underkläder räcker det nog till.

Intervjuaren: Men om du bara vann 100 kronor då? Vad skulle du göra då?

Emelie: Då skulle jag bjuda en kompis på bio och gå och ta en hamburgare efteråt.

  Vad skulle ni göra, om ni vann xxxxx dollar (pund, mark, lira, franc, yen, won, rubel, zloty etc.)?
Diskutera och redovisa! Använd: **Om** jag …, **skulle** jag …

145. Kaosteorin

Först kom Newton och förklarade gravitationen, sedan kom Einstein med sin relativitetsteori. Men nu talar man bara om kaosteorin. En av teorins effekter kallas för fjärilseffekten – hur en liten fjäril kan orsaka en storm. Här är ett exempel från människornas värld:

En dag köper Alexander, 12 år, ett paket cigarretter och kvällstidningar åt sin far. Han betalar med en hundralapp, men får tillbaka på en femtiolapp. Han märker det inte förrän sent på kvällen.

Hans pappa blir rasande och börjar skälla på honom. Hans mamma försvarar honom och pappan blir ännu argare och slår till mamman.

Mamman begär skilsmässa och flyttar till sin syster i Borås. Hon tar sonen med sig. Pappan blir olycklig och börjar dricka. Pojken trivs inte alls i skolan, och han blir retad för sin dialekt och börjar skolka.

Mamman träffar en ny man. Han får jobb i USA och hela familjen flyttar dit. Pojkens pappa kör bil med sprit i kroppen, krockar och skadar den andra bilisten. Det blir fängelse och böter.

I USA blir mamman rånad, pojken blir medlem i ett ungdomsgäng och rymmer hemifrån. Den nye mannen förlorar alla sina pengar på aktiespekulation, rymmer till Brasilien och mamman sitter ensam i USA och gråter.

Biträdet som tog emot hundralappen upptäckte, när hon räknade kassan den där kvällen, att det fanns femtio kronor för mycket. Eftersom ingen kom och klagade tog hon femtiolappen och köpte en penninglott. Den 15 samma månad var det dragning och hon vann 50 000 kronor! För pengarna köpte hon en resa till Rimini och tog ut en veckas semester.

I Rimini träffade hon på ett disko en stilig greve som friade redan samma kväll. Hon tackade ja, och tre månader senare gifte de sig i Rom. Nu bor hon i Italien i ett stort hus med flera tjänare och en svensk au pair-flicka, för att hon ska få sällskap, eftersom hennes italienska inte är så bra ännu.

Pojkens mamma åker så småningom hem till Sverige. Hennes nye man bor i Brasilien med en ny kvinna. Pojken finns någonstans i USA. Ingen vet var.

Pojkens pappa är arbetslös och utan körkort. Ibland går han förbi tobaksaffären, där hans son köpte cigarretterna. Han skulle gärna vilja tala med expediten som växlade fel, men hon har visst slutat och åkt till Italien …

Sensmoral:
Titta noga efter hur mycket pengar du får tillbaka i affären, när du handlar! Annars vet du inte vad som kan hända.

 Vad skulle (inte) ha hänt om pojken inte hade fått fel växel? Gör färdigt följande meningar:
Om pojken inte hade fått fel växel tillbaka, skulle …
Om pappan inte hade slagit till mamman, skulle hon …

Om/inte/flytta Borås/pojken/inte/retad/ dialekt

Om/inte/flytta Borås/mamman/inte/träffa/ ny man

Om/inte/träffa/ny man/inte/flytta/USA

Om/inte/USA/inte/rymma/pojken

Om/inte/spekulera/i aktier/inte/förlora/ pengar

Om/inte/femtio kronor/för mycket/inte/ köpa/lott

Om/inte/köpa lott/inte/vinna/pengar

Om/inte/vinna/pengar/inte/åka på/ semester

Om/inte/semester/träffa greve

Om/inte/träffa greve/fria

Om/inte/gifta sig/bo i Italien

Om/inte/Brasilien/mamman tillbaka

Om/inte/pappan/sprit/körkort

Om/inte/utan körkort/arbetslös

Om/inte/åka/Italien/tala/biträde

Fortsätt gärna med egna exempel! Hitta på egna historier som visar hur en liten händelse kan få stora konsekvenser!

146. Sveriges nationaldag

 DU GAMLA, DU FRIA
Folklig anonym visa
Text: Richard Dybeck (1811–1877)

Du gamla, du fria,
du fjällhöga nord,
du tysta, du glädjerika sköna.
Jag hälsar dig, vänaste land uppå jord.
./. Din sol, din himmel, dina ängder gröna ./.

★★★

Den 6 juni är det Sveriges nationaldag. Den här dagen kallades tidigare Svenska flaggans dag. Det var i början av 1900-talet som man kom på att man borde fira denna dag, 1916 närmare bestämt. Man valde den 6 juni av flera skäl:

– Gustav Vasa valdes till kung den
   dagen 1523.
– 1809 års regeringsform skrevs under
   den dagen.
– Det var den dåvarande kungens,
   Gustaf V, namnsdag.
– Och så är det ju i början av juni, den
   vackra sommarmånaden!

I Norge firas nationaldagen den 17 maj. Men där firar man verkligen sin nationaldag. Det råder rena karnevalsstämningen detta datum i vårt västra grannland.

I Finland, vårt broderland i öst, firar man sin nationaldag, som kallas för självständighetsdagen, den 6 december. Alla flaggar och i varje fönster tänds ett levande ljus.

Den svenska nationaldagen märker man inte alls lika mycket. Många svenskar ser alla flaggor på stan och undrar varför man flaggar. Kanske det är kungens födelsedag eller drottningens namnsdag? Nobeldagen kan det väl inte vara? Nej, den är ju den 10 december.

På teve brukar några glimtar visas i *Rapport* och *Aktuellt*: två minuter kanske, då kungen håller ett litet tal och drottningen ler mot alla i sin svenska folkdräkt.

Nationalsången sjunger man förstås lite här och var, men den kallas av många ungdomar för idrottssången, eftersom den ofta sjungs vid idrottstävlingar, ishockeymatcher, fotbollslandskamper o.d.

Här är förresten andra versen:

 DU GAMLA, DU FRIA
Folklig anonym visa
Text: Richard Dybeck (1811–1877)

Du tronar på minnen
från fornstora dar,
då ärat ditt namn flög över jorden.
Jag vet att du är och du bliver vad du var.
./. Ja, jag vill leva, jag vill dö i Norden! ./.

147. Vad är det som låter?

Klara och Sofia har hyrt en stuga på landet till sin semester. Klara är van vid livet på landet, men Sofia är en typisk stadsbo. Hon är ovan vid tystnaden på landet, men hon är ovan vid alla ljud också. Det är natt. Sofia och Klara har just gått och lagt sig. De har läst lite, men nu har de släckt ljuset och ligger och försöker sova.

(LJUD)

Sofia: Vad var det?

Klara: Det är bara trädet utanför som låter. Det är några kvistar som slår mot taket.
(NYTT LJUD)

Sofia: Klara! Är du vaken? Vad var det för ljud?

Klara: Va? Det är vinden som blåser i springorna. Försök att sova nu!
(NYTT LJUD)

Sofia: Är det någon som går därute?

Klara: Lugna dig, det är ingen som är ute och går så här dags!

Sofia: Jamen, det är någon eller någonting som rör sig!

Klara: Vi är på landet, Sofia. Det finns massor av djur som är uppe på natten. Sov nu!
(NYTT LJUD)

Sofia: Men nu är det i alla fall någon som är här utanför huset!

Klara: Det är kanske någon förrymd mördare som har hört att det finns två ensamma tjejer i den här stugan …

Sofia: Nej, usch! Skräms inte så där! Kan du inte gå och titta?

Klara: OK då, men bara den här gången. Nästa gång är det din tur!
(Hon går fram till fönstret och tittar ut)

Klara: Men titta! En katt! Han ser hungrig ut. Jag ger honom lite mjölk. Sedan får han gå ut igen.

Sofia: Ut i mörkret?

Klara: Katter är inte rädda för mörker. Men om du vill, kan han få ligga i min säng. Om det är någon råtta som kommer fram, kan han jaga bort den.

Sofia: Råtta! Tror du att det finns råttor här också!

Klara: Nej, jag bara skojade. Sov nu!

Till slut somnar Sofia, och nästa gång hon vaknar av ett ljud är det bara Klara som står i köket och lagar frukost.

---

§ FOKUS PÅ SUBJEKTET

Det är **någon** *som* har spillt kaffe på soffan.
Vem *är det som* har spillt kaffe på soffan?
Är det **du** *som* har spillt kaffe på soffan?
Det är inte **jag**, *som* har spillt kaffe på soffan!

§ FOKUS PÅ ANDRA SATSDELAR

Det är **energi** man vill spara.   (objekt)
Det är **därför** de röstar ja.   (adverbial)
Det var **då** turisterna började komma.   (adverbial)

148. Ingenting är längre som förut

Sverige förändras och det ganska fort. Mycket av det svenskar har uppfattat som svenskt finns inte längre, åtminstone inte på det gamla sättet.

Idag kan man inte lika lätt som förr säga om det går bra eller dåligt för Sverige. Man talar oftare om hur det går för de enskilda företagen. Går det bra för Ericsson eller Electrolux kan de som köpt aktier där köpa hus eller lägenhet, går det dåligt så blir de människorna fattigare, men å andra sidan blir kanske någon annan rik.

För att överleva måste företagen satsa på att vara störst och då är Sverige helt enkelt för litet för de stora svenska företagen. Staten har också fått en ny uppgift i att få dem att stanna i landet. En chef på Ericsson sa en gång lite hotfullt retoriskt till regeringen: "Sverige behöver Ericsson, men behöver Ericsson Sverige?! Nja, kanske inte …"

Tidigare var det mycket man inte behövde tänka på som privatperson. Man kan säga att alla regler gällde för alla. Nu måste alla i stället se om sitt hus, vare sig de vill eller inte. Alla måste välja, välja bland olika elbolag, telebolag, läkare, försäkringar och sparandeformer.

Väldigt många svenskar sparar sina pengar i aktier eller i aktiefonder. Det är så vanligt att det inte ses som konstigt att tala om bra eller dåliga penningplaceringar på rasterna på jobbet, och många börjar spara till sina egna pensioner redan som 20-åringar. Faktum är att över 80 procent av svenskarna äger aktier i någon form och två av tre barn under fem år är också aktieägare! Fast det är nog mamma och pappa som investerat.

Många av de gamla svenska företagen är inte längre helsvenska. Ofta ägs de av utländska investerare eller så har flera företag gått samman. Ford äger Volvo, General Motors äger Saab och nästan alla läkemedelsföretag är multinationella: Pharmacia och Astra tillhör sedan länge internationella koncerner. Ibland blir det också lite märkliga konsekvenser när ägarna är utländska - som att svenskar tvingas tala engelska med varandra eftersom koncernspråket inte längre är svenska.

Företagen vill inte bara bli så internationellt stora som möjligt. De satsar också på att bredda sin verksamhet. Till exempel så kan man teckna försäkringar på banken och man kan spara sina pengar hos försäkringsbolagen. Vad som är bank och vad som är försäkringsbolag är inte självklart längre. Om man vill går det också att spara sina pengar i matvaruaffären. Den ger mycket bättre ränta än bankerna. Till och med IKEA har en egen bank.

Överallt i det dagliga livet kan man se den här tendensen. Går man till en tidningskiosk ser man att det inte bara finns tidningar där. Den gamla kiosken är nu samtidigt en korvkiosk, en pastarestaurang, ett café, en biljettautomat för tåg- och teaterbiljetter, en tobaksbutik och en fruktaffär. Samma sak är det på bensinstationerna. Gränserna kanske inte försvinner, men de upplöses lite.

Det gör också landsgränserna. Svenskar provar på att bo utomlands ett tag och människor från andra länder kommer till Sverige. Även om rörligheten bland människor ökar är det för få som kommer till Sverige. Detta är ett allt större befolkningsmässigt problem som Sverige delar med många andra länder. Det föds helt enkelt för få barn. Det är kanske inte

Aktiesparande har blivit alltmer utbrett i Sverige. Ända fram till 1999 delade Stockholmsbörsen lokaler med Svenska akademien i denna vackra byggnad från 1700-talet vid Stortorget i Gamla stan. Numera har den flyttat till moderna kontorslokaler i City.

så problematiskt nu, men när alla som föddes på 1940-talet går i pension, kommer det inte att finnas tillräckligt många svenskar som kan ta över deras arbeten eller sköta om dem på ålderdomshemmen. Den enda lösningen är ökad invandring och för att åstadkomma det måste Sverige vara ett attraktivt land att bo och leva i.

Det är inte längre klart var samhället slutar och var det privat kommersiella börjar. Mycket av det som tidigare sköttes av stat, landsting eller kommun tas nu över av privata företag. Idag är det inte längre konstigt med

privata skolor, så kallade friskolor. Det är skolor som är avgiftsfria på samma sätt som de kommunala, men som kan ha en speciell profil eller pedagogik. Så de vanliga skolorna måste idag konkurrera med varandra och med friskolorna, som kanske kan erbjuda ett bättre alternativ för barnen. Men vad innebär bättre? Vilken skola är bäst? Vad ska jag välja?

Svenskarna har blivit tvungna att välja vare sig de vill eller inte. Hoppas de väljer rätt. Ingenting är längre som förut.
(Lars J O Larsson, Kvintessensen, 2001)

149. Några svenska författare

Vilken svensk skönlitteratur ges ut idag? Här kommer en kort presentation av några aktuella svenska författare. Det är förstås svårt att välja ut ett så litet antal, men urvalet är gjort för att visa olika genrer inom svensk skönlitteratur.

Majgull Axelsson (f. 1947)
Majgull Axelsson debuterade 1994. Dessförinnan arbetade hon som frilansande journalist och gjorde reportage bl.a. om gatubarn. Hon skriver ofta om samhällets mörka sidor, som t.ex. prostitution, miss-handel och sjukdomar och tror på att en berättelse kan leda till förändring. Hennes mest kända roman heter *Aprilhäxan* (1997).

Kerstin Ekman (f. 1933)
1959 debuterade Kerstin Ekman med en detektiv-roman och hon har nu blivit en av våra stora berättare. Hon blev invald i Svenska Akademien 1978, men utträdde 1989 i protest mot att Akademien inte tog klar ställning för Salman Rushdie. Några kända verk är romansviten *Häxringarna, Springkällan, Änglahuset* och *En stad av ljus* (1974–83) samt den prisbelönta *Händelser vid vatten* (1993).

Per Olov Enquist (f. 1934)
P.O. Enquist har varit verksam som kritiker på bl.a. Expressen och Svenska Dagbladet. Han är en författare med starkt engagemang i tidens frågor och hans verk har ofta en dokumentär bakgrund. Han debuterade 1961 och har skrivit både prosa och dramatik. För sin senaste roman, *Livläkarens besök*, fick han August-priset 1999.

Marianne Fredriksson (f. 1927)
Marianne Fredriksson är den svenska författare som översätts mest, efter Astrid Lindgren. Även om hon inte alltid har kritikerna på sin sida är hennes böcker mycket populära i Sverige. 1980 debuterade hon med *Evas bok* som är den första boken i trilogin *Paradisets barn*. Hennes böcker utgår ofta från religiösa motiv.

Jonas Gardell (f. 1963)
Jonas Gardell skriver romaner och dramatik och är även känd som ståuppkomiker. Bl.a. har han skrivit romanerna *Fru Björks öden och äventyr* (1990) och *En komikers uppväxt* (1992). Återkommande teman i hans verk är vardagsmänniskan och hennes problem och drömmar, den borgerliga kärnfamiljen samt homo-sexualitet - allt beskrivet med både sorg och humor.

Jan Guillou (f. 1944)
På 1970-talet blev Jan Guillou känd som en politiskt radikal journalist. Senare har han haft stora publik-framgångar som författare till de tio böckerna om den svenske agenten Carl Hamilton, alias Coq Rouge. Den första romanen kom 1986 och serien har legat till grund för flera filmatiseringar och teveserier. Nu skriver Guillou en serie historiska romaner.

Marie Hermanson (f. 1956)
Marie Hermanson fick sitt genombrott 1995 med romanen *Värddjuret*. Den handlar om en ung kvinna som efter en resa till Borneo upptäcker att hennes kropp blivit värddjur för en sällsynt fjärilsart. 1998 kom romanen *Musselstranden*, vars tema är barn-domens betydelse för hur våra liv blir.

Peter Kihlgård (f. 1954)
Flera av Peter Kihlgårds romaner har kommit till under resor till fjärran länder. *Strandmannen* (1992) handlar om en konstnär som skapar strandskulpturer på stränder runt om i världen och om de kvinnor som står honom närmast. Peter Kihlgård har även skrivit dramatik och uppträtt med en rockgrupp.

Torgny Lindgren (f. 1938)
Torgny Lindgren fick sitt stora genombrott 1982 med romanen *Ormens väg på hälleberget,* som även har filmatiserats. Sedan dess har han publicerat nästan en bok varje år. Några av hans huvudsakliga inspirations-källor är Bibeln och barndomsmiljön i Västerbotten. Han blev ledamot av Svenska Akademien 1991.

Kristina Lugn (f. 1948)

Kristina Lugn debuterade 1972 som poet och har därefter givit ut sex diktsamlingar, bl.a. *Hundstunden*. Numera är hon konstnärlig ledare vid Teater Brunnsgatan Fyra i Stockholm och flera av hennes pjäser har satts upp på Dramaten i Stockholm. Kristina Lugn skriver om kvinnor, ofta sådana som inte riktigt passar in i samhället, med svart humor och medkänsla.

Henning Mankell (f. 1948)

Det har kommit en rad nya deckarförfattare i Sverige under senare år och Henning Mankell är en av de mest populära. Framförallt gäller det serien om kommissarie Kurt Wallander och hans Ystadskolleger, varav flera romaner har filmatiserats. Böckerna är både kriminalromaner och skildringar av ett folkhem i omvandling. Den sista boken i sviten heter *Brandvägg* (1998).

Liza Marklund (f. 1962)

Romanen *Sprängaren* fick 1998 Svenska deckarakademins pris som bästa debutant. Den belönades också med Polonipriset. Huvudpersonen Annika Bengtzon arbetar på en stor kvällstidning och är dessutom småbarnsmor. Liza Marklunds böcker ges ut på Piratförlaget som skapat en hel del turbulens inom den svenska förlagsvärlden.

Mikael Niemi (f. 1959)

Augustpriset 2000 gick till Mikael Niemi för romanen *Populärmusik från Vittula*. Det är en både humoristisk och ömsint skildring av pojken Matti och hans kamrat Niila och deras uppväxt i Pajala i norra Sverige. Berättelsen utspelar sig under sextio- och sjuttiotalen. Mikael Niemi debuterade 1988 som poet. Han skriver barn- och ungdomsböcker och har även uppmärksammats som dramatiker.

Moni Nilsson-Brännström (f. 1955)

Tsatsiki och morsan (1995), samt ytterligare tre böcker i samma serie, har blivit några av de mest uppmärksammade barnböckerna i Sverige på senaste tiden. Pojken Tsatsiki bor tillsammans med sin mamma och har en pappa i Grekland som han aldrig har träffat. Filmen om Tsatsiki har haft stora framgångar både i Sverige och utlandet och den fick en Guldbagge för årets bästa film 2000.

Agneta Pleijel (f. 1940)

Agneta Pleijel har framgångsrikt prövat många litterära genrer, såsom dramatik, essäistik, lyrik och prosa. Hon har arbetat som kritiker, kulturredaktör och även varit ordförande i Svenska PEN. Romanen *Lord Nevermore*, som kom ut 2000, handlar om två vänner från Polen som under 1900-talet färdas runt i världen. Det rör sig om seklets historia och idéer, om människor och de ögonblick som de upplever och som aldrig kommer tillbaka.

Tomas Tranströmer (f. 1931)

Tomas Tranströmer är den nu levande svenske poet som översatts mest och hans namn nämns ofta i samband med Nobelpriset. Han debuterade 1954 och har sedan dess varit en central figur i svensk diktning. Tranströmer använder både äldre versformer och helt fri vers. Musiken har stor betydelse för hans diktning.

Mirja Unge (f. 1973)

Mirja Unge tillhör en yngre författargeneration och de två romaner hon hittills skrivit har blivit mycket uppmärksammade. *Det var ur munnarna orden kom* (1998) belönades med Författarförbundets Katapultpris till årets bästa debutant. 2000 kom *Järnnätter*, som kan ses som en fristående fortsättning.

(Källor: Vem är vem i svensk litteratur, Agneta & Lars Erik Blomqvist, Prisma. Alex Online, www.forflex.se)

150. Kalabaliken i Bender

Det var krig igen mellan Sverige och Ryssland. I augusti 1707 ryckte den svenske kungen, den 27-årige Karl XII, in i Ryssland. Den 28 juni 1709 stod han äntligen öga mot öga med den ryska armén vid den lilla byn Poltava, långt nere i södra Ukraina: 20 000 svenskar mot 40 000 ryssar.

Det blev ett fruktansvärt slag, och det gick dåligt för svenskarna. Karl var sårad och befallde att generalerna Lewenhaupt och Rehnskiöld skulle leda slaget. Efter nederlaget flydde Karl själv och ett par tusen man söderut till Turkiet.

Den turkiske sultanen Ahmed tillät svenskarna att stanna som hans gäster i staden Bender vid Dnjestr. Karl hoppades att sultanen skulle få kontakt med armén snart, men i augusti fick han reda på att Lewenhaupt hade kapitulerat. Då försökte svenskarna i stället övertala sultanen att samarbeta mot ryssarna. Karl ville att sultanen skulle ge honom befälet över en turkisk armé, så att han kunde anfalla ryssarna igen, och turkarna å sin sida förstod att de kunde hota ryssarna med att samarbeta med svenskarna. De lovade alltså att hjälpa svenskarna; samtidigt förhandlade de med ryssarna. På så sätt fick de ett bra fredsavtal till slut.

Svenskarna ville att kriget skulle fortsätta. De föreslog att en svensk och en turkisk armé samtidigt skulle anfalla Ryssland. Sultanen begärde att få se den svenska armén först, och Karl sände brev efter brev till de svenska statsråden i Stockholm, men någon armé kom aldrig.

Turkarna tyckte att den svenske kungen – kung Järnhuvud kallade de honom – började bli besvärlig och dyrbar! De ville ha fred med Ryssland, så att de kunde ta itu med Österrike

i stället. Karl å sin sida var orolig, för han trodde att turkarna tänkte lämna ut honom till hans fiender.

Sultanen bad till slut att Karl skulle återvända till Sverige. Karl vägrade. Då beslöt sultanen att man skulle ta honom med våld. Flera tusen soldater anföll kungen och hans män. Kungen vägrade att ge sig. Svenskarna slogs förtvivlat, och Karl själv dödade åtminstone tre fiender, men efter åtta timmar var striden slut. Karl hade blivit sultanens fånge. Det var den s.k. kalabaliken i Bender.

Karl förstod att spelet var slut. Sultanen ville bli av med honom så fort som möjligt, och den 27 oktober 1714 – efter fem år – lämnade Karl Turkiet. Under namnet Peter Frisk red han tillsammans med en officer som enda följeslagare dag och natt från det nuvarande Rumänien genom Ungern, Wien och Tyskland, tills han via Stralsund nådde Lund tre veckor senare.

Kriget kunde fortsätta.

§ VERBKOMPLEMENT (VALENS)

be	ngn	om ngt	Han bad sultanen om hjälp.
	–	att SATS	Han bad att han skulle hjälpa honom.
befaller	ngn	att INF	Han befallde soldaterna att stanna.
	–	att SATS	Han befallde att soldaterna skulle stanna.
begär	–	att SATS	Han begärde att kungen skulle ge honom hjälp.
beslutar		att INF	Han beslöt att hjälpa kungen.
		att SATS	Han beslöt att de skulle fånga kungen.
får reda på	ngt		Han fick reda på resultatet.
		att SATS	Kungen fick reda på, att armén hade kapitulerat.
föreslår	ngn	ngt	Han föreslog kungen en plan.
	–	att SATS	Han föreslog att de skulle återvända.
förstår	ngn		Min fru förstår mig inte.
		ngt	Det förstår jag.
		att SATS	Han förstod att spelet var slut.
hoppas		INF	Jag hoppas få se dig igen.
		att SATS	Jag hoppas att du snart blir frisk.
hotar	ngn	(med ngt)	Han hotade henne (med en kniv).
	ngn	(med att SATS)	Han hotade henne med att han skulle döda henne.
	–	att INF	Han hotade att döda henne.
lovar	ngn	ngt	Chefen lovade mig högre lön.
	(ngn)	att SATS	Chefen lovade (mig), att jag skulle få högre lön.
	–	att INF	Han lovade att komma tillbaka.
tillåter	–	ngt	Min läkare tillåter inte alkohol.
	–	att SATS	Min läkare tillåter inte, att jag dricker alkohol.
tror	–	att SATS	Han trodde att sultanen skulle hjälpa honom.
tycker	–	att SATS	Jag tycker att du ska gå nu.
vill		INF	Han ville stanna.
		att SATS	Sultanen ville att kungen skulle återvända.
vägra	ngn	ngt	Sultanen vägrade honom hjälp.
	–	att INF	Kungen vägrade (att) ge sig.
övertala	ngn	att INF	Han övertalade dem att ge upp.
	ngn	att SATS	Han övertalade dem att de skulle ge upp.

Varje verb har en **semantisk** betydelse, men verbet bestämmer också vilken **struktur** satsen får. Använder man t.ex. verbet "**be**", måste det finnas **någon** som man ber om **något**, dvs. det måste finnas **två** objekt i satsen.
Använder man verbet "**vill**", måste det följas av en **infinitiv** eller en **att–bisats**.

Extra övningar

1. Nina åker hem
Substantiv – bestämd eller
obestämd form?

Nina bor i [förort -en -er] till [stad -en
städer] i Mellansverige. Hon har [hus -et -],
som ligger vid [park -en -er] bara 5 km från
[stad -en städer]. Därför cyklar hon till och
från [jobb -et -]. Idag slutar hon klockan halv
5. Hon tar [cykel -n -cyklar] och åker till
[fotoaffär -en -er] och köper [film -en -er]

där. Sedan går hon till [bibliotek -et -]. Där
lånar hon [bok -en böcker] om [film -en],
och sedan går hon in i [livsmedelsaffär -en -
er], som ligger bredvid [fotoaffär -en -er].
Hon köper [frukt -en], [kaffe -t], [yoghurt -
en], [veckotidning -en -ar] och [paket -et -]
cigarretter och stoppar allt i [kasse -n -ar].
Sedan lägger hon [bok -en böcker] på
[pakethållare -n -] på [cykel -n cyklar] och
[kasse -n -ar] hänger hon på [styre -t -n].
Sedan åker hon hem.

2. Formdrill
Skriv ner rätt form på orden som saknas!

obestämd sing.	översättning	bestämd sing.	obestämd plur.	bestämd plur.
sång	...	...	sånger	sångerna
klarinett	...	klarinetten	klarinetter	...
...	...	listan	...	listorna
nål	...	...	nålar	...
...	...	läkaren	läkare	läkarna
problem	...	...	...	problemen
armé	...	...	arméer	...
ställe	...	...	...	ställena
glas	...	glaset	glas	...
...	...	frukten	...	frukterna
bi	...	biet	...	bina
...	...	myran	myror	...
dikt	...	...	dikter	dikterna
diktare	...	diktaren	...	diktarna
äpple	...	äpplet	äpplen	...
...	...	sångaren	sångare	...

3. Välj tempus

Presens, preteritum eller perfektum? Komplettera dialogen!

Längst uppe i norra Sverige går Nordkalott-vägen mellan Luleå vid Östersjökusten och Narvik vid Atlanten, en sträcka på 50 mil. Här följer en intervju från 1986 med en av ingenjörerna som byggde den.

F: När [man – öppna – vägen] ?

S: Den [bli – klar] 1984. Då [sista biten i Norge – bli – färdig].

F: Man [alltså – använda] den i två år nu?

S: Just det.

F: Hur mycket [hela vägen – kosta] ?

S: Cirka 500 miljoner kronor.

F: Varifrån [man – ta] så mycket pengar?

S: Jo, för fjorton år sedan [Sverige och Norge – komma överens] om en plan. Sverige [betala] 370 miljoner och Norge 130 miljoner.

F: Hur många bilar [åka] vägen hittills?

S: Vi [gör] trafikräkningar några gånger. I somras t.ex. [3 000 bilar – passera] per dygn.

F: [antalet turister – öka]?

S: Jodå, det [nästan – fyrdubblas]. Framför allt [det – kommer] många norrmän. Nyttotrafiken från Norge [också – öka]. Det [nämligen – gå] fortare att åka genom Sverige än genom Norge.

F: Jaha. Hur lång tid [det – ta] förut att åka från Oslo till Narvik?

S: Tre dagar med bil. Man [måste] ta färja på många ställen.
Men med Nordkalottvägen [det – gå] på två dagar.

F: Så alla är glada och tacksamma för vägen?

S: Nja, det [höras] en del protester också. I början [många – vara oroliga] naturen och djurlivet, som är alldeles unikt.

F: [djuren – bli rädda] för alla stora vägmaskiner?

S: Jo, det är klart, men sedan dess [vi – göra] många undersökningar, och [vi – inte – se] några störningar i djurlivet.

F: Men många renar [väl – bli] påkörda av bilar?

S: Jo, det [tyvärr – hända]. Förra året [300 renar – bli] påkörda, och i år [vi – ha] 120 olyckor så här långt. Fast sådana olyckor [vi – ha] på alla vägar här i Norrbotten.

F: [du själv – köra] Nordkalottvägen ända till Narvik någon gång?

S: Jodå, jag [redan – köra] den 12 gånger! Första gången [vara] två dagar efter invigningen!

4. Vad betyder siffran?

1. Han lyssnar på Beethovens **femma**.
2. Hon tar **åttan** till jobbet.
3. Martin har en **fyra** i svenska.
4. Han betalar med en **tia**.
5. De bor i en liten **tvåa**.
6. En **sexa** renat.
7. Programmet går i **tvåan**.
8. Sirkka kommer alltid **etta**.
9. Hon bor i **sjuan**.
10. Hon kör på **trean**.

Välj bland
lägenhet
placering i tävling
pengar
betyg
bussnummer
symfoni
radiokanal
gatunummer
rymdmått
bilväxel

5. Possessiva pronomen
Skriv rätt possessivpronomen
och i rätt form!

1. Jag har en bil.
   Det är min bil.
2. Anna har en grammofon.
   Det är hennes grammofon.
3. Du har ett hus.
4. Vi har blommor.
5. Ni har en bil.
6. De har ett barn.
7. Peter har en fru.
8. Jag har ett problem.
9. Anna har ett rum.
10. Ni har biljetter.
11. Vi har ett förslag.
12. De har cigarretter.
13. Anna har problem.
14. Jag har flera förslag.
15. Ni har två hundar.
16. Jag har ett lexikon.
17. Vi har möbler.
18. Du har vänner.
19. Vi har en fest.
20. Du har en idé.
21. Peter har en chef.
22. Vi har ett företag.
23. Jag har byxor.
24. Ni har en affär.
25. Jag har en dator.

6. Leta adverb!

Läs texten och se om du kan hitta några adverb! Tänk på vilka verb som följs av adjektiv:

Exempel: ser ... ut
verkar
känner sig
är
blir ...

Hon kom hem ganska sent på kvällen. Hon hade arbetat över och var trött efter en lång och slitsam dag. Men nu skulle hon bara ta det lugnt. Hennes man var bortrest över helgen och ungarna var hos farmor. Vad skönt det skulle bli! En hel helg bara för sig själv!

Hon öppnade dörren och klev försiktigt in över posten som låg innanför dörren. Ett av breven öppnade hon genast. Det var från hennes bästa vän som sedan ett år bodde i Paris.

Hon satte sig ner i soffan, fortfarande med kläderna på, och läste brevet långsamt och eftertänksamt. Men plötsligt blev hon alldeles stel och hennes hjärta började slå hastigare.

Hon visste att hon var ensam i huset, men nu hörde hon det igen, tydligare än första gången. Någon eller något rörde sig på övervåningen!

När du har hittat adverben:
leta efter adjektiv!
När du har hittat adjektiven:
hitta på en fortsättning på historien!

7. Fortsätt meningarna!

Idag ...
I morgon ...
Varje dag ...
De ...
Kommer ...?
Varför ...?
Jag ...
Klockan sju ...
Igår ...
För tre dagar sen ...
Vad ...?
Det finns ...
Har ...?
När ...?
Finns det ...?

Om jag hinner, ...
Innan jag ...
Trots att ...
Får ...?
Medan ...
När ...
Om tre timmar ...
Svenska ...
Efter ...
Det vet ...
Stannar ...?
Hur mycket ...?
Den som ...
Det var honom ...
Kom ...!

Nästa ...
Den här ...
I Sverige ...
På natten ...
Jag tycker ...
Tror du ...?
Om du vill, ...
Före ...
Visste du att ...?
Hur dags... ?
Vart fjärde år ...
Nu ...
Det ...
Vi ...
Äntligen ...!

 ## 8. Väder och vind

Usch, vad det [blåser / regnar / snöar / blixtrar / haglar]!
Det är vackert [fint / skönt / trist / härligt] väder idag, eller hur?
Det är [mulet / molnigt / soligt / blåsigt / kallt / varmt].
Hur är vädret idag? Vad är det för väder idag?
Hur är vädret på [sommaren / vintern / våren / hösten]?

Välj varsitt land eller område och presentera morgondagens väder där.

NÅGRA FRASER
Solen skiner.
Det regnar.
Det snöar.
Det blåser.
Det haglar.

9. Några förkortningar

osv.	och så vidare	**bl.a.**	bland annat	**fr.o.m.**	från och med
t.ex.	till exempel	**OBS!**	observera	**t.o.m.**	till och med
tr.	trappor (i adresser)	**n.b.**	nedre botten (i adresser)	**jfr**	jämför
p.g.a.	på grund av	**etc.**	etcetera	**m.m.**	med mera
forts.	fortsättning	**o.d.**	och dylikt	**s.k.**	så kallat
dvs.	det vill säga	**ca**	cirka		

10. Ordspråk

Man ska smida medan järnet är varmt.
Det kan jag på mina fem fingrar.
Man ska låta maten tysta mun.
Slå två flugor i en smäll.
Den som viskar han ljuger.
Nöden har ingen lag.
Hon har ögon i nacken.
Vi sitter alla i samma båt.
Morgonstund har guld i mun.
Väck ej den björn som sover!
Kärt barn har många namn.
Bättre en fågel i handen än tio i skogen.

Små grytor har också öron.
När man talar om trollen så står de i farstun.
Lugn som en filbunke.
Håll tummarna!
Slå huvudet på spiken.
En fluga gör ingen sommar.
Ingen rök utan eld.
Att ha rent mjöl i påsen.
Många bäckar små gör en stor å.
Alla barn i början.
Ju fler kockar desto sämre soppa.
Man kan inte lära gamla hundar sitta.

Ordspråk och uttryck

 Diskutera om det finns motsvarande ordspråk och uttryck på ditt språk!

210

11. Hur gammal blir en guldfisk?

Diskutera och svara på följande frågor!

Hur gammal blir …   Hur mycket väger …
         … en katt?
         … en människa?
         … en elefant?
         … en häst?
         … en papegoja?
         … en guldfisk?
         … en sköldpadda?

Svar: En katt blir … år, (tror jag/vi).
Svar: En katt väger … kilo, (tror jag/vi).

Repetera räkneorden (s. 20) om
du behöver!

12. På en öde ö!

Tänk, om du måste tillbringa ett år
på en öde ö! Vad behöver du då? Här nedan
finns en lista med olika saker som du kan ha
nytta av, men du får bara ta med dig fyra saker
från listan. Vilka fyra saker väljer du?
Diskutera två och två! Varför just dem?
Motivera svaret! Motivera även varför ni inte
behöver vissa saker! På ön finns rinnande
vatten som man kan dricka, och det växer
också vilda frukter och bär. Klimatet är lite
varmare än i Sverige.

BRA UTTRYCK
Vi behöver [en/ett] substantiv.
Vi behöver [ingen/inget] substantiv.
Vi har ingen användning för [någon/
något] substantiv.
Behöver vi [någon/något] substantiv?
Nej, det behövs inte.

LISTAN
en limpa cigarretter
en batteridriven radio
en ask huvudvärkstabletter
en kniv
ett paket tändstickor
en fotboll
en tjock bok, t.ex. *Robinson Crusoe*
en klocka
ett gevär
en tandborste
en tvål
en hammare
en spegel
en sax
handdukar
regnkläder

13. Tidsgraven

Det är nyårsafton 1999. Några ungdomar firar millennieskiftet tillsammans i en stuga på västkusten. Under dagen går de en promenad ute på klipporna och hittar då ingången till en grotta. På kvällen bestämmer de sig för att återvända till grottan med ficklampor.

Den mörka grottan verkar helt outforskad. Men plötsligt faller ljuset från en ficklampa på ett föremål inne i ett hörn. Det är en lerurna med lock på. Ungdomarna är inte de första mänskliga varelserna som går in i grottan.

En i gänget springer fram till urnan och lyfter försiktigt upp den. Med fingrarna känner han en inskription och ber att ficklampsbärarna ska komma med lite ljus. Alla håller andan när de läser:

"Här vilar vårt sekel. Nyårsafton 1799"

Först blir det alldeles tyst. Sedan börjar alla prata i munnen på varandra.

– Lyft på locket! ropar någon.

Långsamt, långsamt lyfts locket av, men ingen vågar stoppa ner fingrarna.

– Äldst först, säger en flicka, och så får det bli. Gripna av stundens allvar står alla i en ring runt urnan. Flickan tar upp föremål efter föremål som av allt att döma legat där i minst tvåhundra år.

Alla tänker de på de människor som stått i grottan för så länge sedan och som velat visa eftervärlden vilka de var och hur de levde. Vem som först föreslår att de ska begrava sin egen tid på samma sätt är det ingen som minns. Men ingen av dem kommer någonsin att glömma nyårsafton 1999.

Vad innehöll egentligen urnan som ungdomarna hittade?
Vilka föremål valde de själva som skulle vara typiska för deras egen tid?

212

© Fotografier

Fotografier utan angiven fotograf, bildbyrå eller källa är privata.

© Sångtexter

Sångtexter utan angivande av copyrightsinnehavare är fria.